Sem medo de ser feliz

Sem medo de ser feliz

Copyright by © Petit Editora e Distribuidora Ltda. 1999
23-10-21-1.000-108.020

Coordenação editorial: **Ronaldo A. Sperdutti**
Capa (criação): **Flávio Machado**
Editoração: **Ricardo Brito**
Revisão: **Cristina Yamagami**
Leticia Castello Branco Braun
Impressão: **Gráfica Loyola**

Dados Internacionais de Catalogação na Publicação (CIP)
(Câmara Brasileira do Livro, SP, Brasil)

Lucca, José Carlos De
Sem medo de ser feliz / José Carlos De Lucca. – São Paulo : Petit, 1999.

ISBN 978-85-7253-049-1

1. Reforma íntima 2. Autoconsciência 3. Espiritismo 4. Felicidade 5. Meditações I. Título.

99-0291 CDD-133.901

Índices para catálogo sistemático:

1. Felicidade : Reflexões : Doutrina espírita 133.901

Impresso no Brasil.

Prezado leitor(a),

Caso encontre neste livro alguma parte que acredita que vai interessar ou mesmo ajudar outras pessoas e decida distribuí-la por meio da internet ou outro meio, nunca deixe de mencionar a fonte, pois assim estará preservando os direitos do autor e, conseqüentemente, contribuindo para uma ótima divulgação do livro.

José Carlos De Lucca

Sem medo de ser feliz

Av. Porto Ferreira, 1031 - Parque Iracema
Cep 15809-020 - Catanduva-SP
17 3531.4444
www. petit.com.br | petit@petit.com.br
www.boanova.net | boanova@boanova.net

NÚCLEO ASSISTENCIAL FRATERNO
CRECHE MEIMEI*

Rua José Oller, 66
Vila Nova Manchester
São Paulo – SP

* Reconhecida pelo Conselho Nacional de Assistência Social
(Res.188/97)

Entidade Filantrópica de Utilidade Pública Federal
(MJ 27.498/97-84)

Para Francisco Cândido Xavier e Divaldo Pereira Franco, homens que exemplificam a felicidade proporcionada pelo Espiritismo, minha eterna gratidão.

Para Cristina, companheira dos meus sonhos e ideais.

Aos filhos Tarcísio e Thales, mestres da minha existência, amigos para sempre.

À turma do Centro Espírita Aprendizes do Evangelho, de Vila Manchester, com quem tenho vivido momentos maravilhosos.

A todos aqueles que, de uma forma ou de outra, deram irrestrito apoio ao meu trabalho, especialmente Rubens Cascapera Júnior, Cleomar Batista de Oliveira, Paulo Gilberto Pereira da Costa, Antonio Cardoso, Aziz Cury, Luiz Fernando Nardelli, Humberto Pardini, Reynaldo Leite, Cláudia Avelino, Angela Flores e Silvana De Lucca Costa.

Aos meus pais, de quem recebi o melhor de tudo: Amor.

Este é um livro sobre reforma íntima.

Reformar o nosso interior, a nossa essência; esta é a prioridade do homem da nossa época para poder se harmonizar consigo mesmo, com a natureza e com o próximo.

Todos proclamam a necessidade de reformar a sociedade, a economia, a política, as empresas. Porém, a renúncia ao personalismo, à violência, à indiferença e ao autoritarismo é a reforma do homem para poder trilhar os ensinamentos do Cristo e fazer o Céu na Terra.

Este livro tem o roteiro da nossa reforma íntima.

Vamos a ela?

Sumário

Prefácio

O dr. De Lucca, como carinhosamente temos a audácia de chamar um magistrado muito envolvido nas questões da justiça terrena, vem, há muito, percebendo que por detrás de cada caso envolvendo acusados e acusadores há seres humanos, com seus conflitos internos, seus dissabores e preocupações, que, mesmo depois de resolvidas as questões com a "deusa da Justiça", ainda persistem na situação interna de infelicidade.

Ele mesmo cita a inteligente pergunta de KARDEC aos espíritos: "Onde está escrita a Lei de Deus?" Obtendo como resposta: "Na consciência". Isso nos faz refletir que necessitamos de advogados e de juízes para explicar e aplicar as leis codificadas, já que temos dificuldade em interpretá-las. Por isso, fazendo um paralelo, dr. De Lucca nos ajuda, neste livro, a interpretar e aplicar as leis naturais para alcançarmos a tão procurada felicidade.

Você é feliz?

Com perguntas simples, o autor vai nos envolvendo, capítulo após capítulo, numa leitura que nos ajuda a refletir e, mais que isso, auxilia-nos a obter a tão esperada transformação interior que nós, os espíritas, concluímos ser um processo natural de evolução.

Todo livro tem uma função. Uns para passar o tempo; outros para estudos técnicos; alguns nos levam para mundos distantes, fora da realidade.

Qual será a intenção deste?

Escrito nas madrugadas, quando a percepção da presença amorosa dos amigos espirituais é mais facilitada, dr. De Lucca passa, de forma sutil, ensinamentos fortes, como só o exemplo de alguém ocupado, muito ocupado com o trabalho da Magistratura e atento à família, na acepção de que o tempo continua sendo uma questão de prioridade, pode nos exemplificar.

A proposta deste livro, como o próprio autor confessa, é um convite à reflexão, uma maneira inteligente de provocar o autoconhecimento, de buscar respostas para as questões do dia-a-dia. Tenho para mim que assim o é.

Convido você para este "tempo de prosa". Uma conversa edificante, um breve intervalo para a meditação ao ler esta obra. E ao terminar todo o livro deixe-o à cabeceira de sua cama ou na mesa de trabalho e abra-o, "ao acaso", para perceber-se pronto para a "lição do dia".

RUBENS CASCAPERA JR.
MÉDICO E NEUROLINGÜISTA

Apresentação

Que bom que você está aqui. É uma alegria muito grande poder estar conversando com você. Este é o nosso primeiro contato e espero que a leitura deste livro seja muito boa para você. Gostaria de me apresentar, pois iremos passar algum tempo juntos e isso irá facilitar muito o nosso diálogo.

Quando escrevi este livro, tinha trinta e sete anos, casado e com dois filhos. Tomei contato com a Doutrina Espírita logo aos doze anos de idade. Minha querida mãe freqüentava algumas sessões mediúnicas e a existência do mais além me despertou muita curiosidade. Desde cedo procurava entender a vida além da morte e em plena adolescência comecei a estudar *O Livro dos Espíritos*, obra básica da Doutrina Espírita. Muita coisa não entendia naquela época, mas pouco a pouco fui lendo e absorvendo os conceitos básicos do Espiritismo. Não sou nenhum doutor em Doutrina Espírita, porque a cada dia sempre estamos aprendendo e revendo novos conceitos e aprimorando idéias e valores.

Conhecer o Espiritismo foi uma grande benção em minha vida. Nele eu pude rever a doce mensagem de Jesus, verificando a sua importância para o homem moderno. A leitura de *O Evangelho Segundo o Espiritismo* tem me proporcionado grande alívio ao coração, acalmando as minhas ansiedades e preocupações, verdadeiras doenças do homem da nossa época. Com a Doutrina Espírita obtive a certeza da realidade imortal do espírito. Isso foi uma benção sem limites, pois conhecendo o Espiritismo entendi que a morte não existe, que o espírito continua vivo em outra dimensão, que estamos todos em processo de evolução em vidas sucessivas, que ninguém será condenado ao fogo do inferno, que Deus é nosso Pai e Amigo, que os espíritos podem influenciar a nossa vida muito mais do que imaginamos, enfim, que tudo o que nos acontece tem um porquê, uma causa, uma razão de ser.

O Espiritismo tem enriquecido a minha vida em todos os aspectos, seja no campo profissional, como juiz de direito e professor universitário, seja no campo da vivência familiar e comunitária.

Freqüentei por alguns anos as atividades de assistência espiritual da Federação Espírita do Estado de São Paulo, um grande farol da Doutrina Espírita na pátria brasileira. Não me esqueço, também, da acolhida carinhosa que recebi no Centro Espírita Irmã Carolina, em São Paulo, em momento difícil de minha vida pessoal, quando a tarefa do livro espírita por certo começou a ser despertada.

Também me recordo dos valorosos companheiros da Casa Transitória Fabiano de Cristo, em São Paulo, local onde eu e minha esposa tivemos a felicidade de trabalhar na Campanha Auta de Souza.

Hoje participo das atividades do Centro Espírita Aprendizes do Evangelho, na Vila Manchester, e também de outras Casas Espíritas onde tenho proferido aulas nos Cursos de Espiritismo e Aprendizes do Evangelho. Durante alguns anos, trabalhei na livraria do Centro Espírita ao qual estou integrado, sendo um dos trabalhos que mais me encantaram. O livro espírita sempre foi um amigo de quem nunca me separei. Talvez por isso hoje aqui me encontro ofertando a você, querido leitor, o mesmo remédio que curou muitas das minhas feridas. Nunca se afaste da literatura espírita; não deixe de ler e estudar as obras básicas da Codificação. Enfim, amigo leitor, o Espiritismo só me trouxe felicidade e é esta felicidade que quero compartilhar com você, nas próximas páginas. Tudo o que falo não é propriedade minha. Apenas tentei dar uma roupagem talvez nova para antigas reflexões sobre a felicidade.

Agora eu quero saber de você, de sua vida, de sua história, de suas dúvidas. Então, vamos conversar? É o convite que lhe faço, com muito amor no coração.

José Carlos De Lucca

Você é feliz?

"As pessoas não conhecem a própria felicidade,
mas a dos outros não lhes escapa nunca."

Pierre Daninos

Todos estão à procura da felicidade. Ninguém diria em sã consciência que não deseja ser feliz. Ricos e pobres, homens e mulheres, crianças e adultos, doentes e sãos, religiosos e ateus, enfim, todos querem a tal felicidade. Daí por que todos a procuram, nos mais variados lugares e das mais diferentes formas. Mas, se a procura é grande, nem sempre o encontro ocorre.

Para muitos, a conquista da felicidade está associada à aquisição de bens materiais. Pensam, por exemplo, que serão felizes quando comprarem aquele carro importado, aquela casa na praia ou quando ganharem grande fortuna na loteria. E, por vezes, chegam até ao intento sonhado, mas, a despeito da riqueza, continuam infelizes, sentem um enorme vazio existencial. A fortuna alcançada só aumentou a carga de sofrimentos daquela pessoa, com o acréscimo das preocupações que antes não a visitavam.

Outros ancoraram o sonho da felicidade na busca da fama, do sucesso, do poder. Imaginam que só o reconhecimento público de seus talentos artísticos ou intelectuais poderá fazê-los felizes. E, de igual forma, muitas vezes vem o sucesso, vem a consagração, mas a felicidade não vem junto. Ao contrário, ficaram mais tristes. Apesar de serem publicamente conhecidos, continuam sós. Temem a aproximação das pessoas. Vivem a dualidade da fama e da solidão e dizem, com freqüência, que dariam tudo para levar uma vida comum. Certa feita, ouvi de um famoso cantor que seu maior desejo era poder ir à praia como uma pessoa comum. Mas a fama não lhe permitia desfrutar desse simples prazer da vida.

Para outros a felicidade está condicionada à inexistência de problemas. Dizem eles:

"Como posso ser feliz carregando vários tormentos?"

E assim caminham pela vida aguardando o dia em que seus problemas terminem para aí sim desfrutarem a tal felicidade.

Mas existirá alguém na face da terra
que não tenha problemas?

Não pensemos que uma pessoa rica esteja isenta de dificuldades. Pode não ter as preocupações com a moeda, mas certamente tem outras aflições que a riqueza não é capaz de superar. O ouro não resolve todos os problemas. Que o digam aqueles afortunados que desejariam saborear as melhores comidas do mundo, mas que por doenças tormentosas sequer podem alimentar-se de um simples prato de arroz e feijão.

Então muitas pessoas estão condicionando a felicidade à ocorrência de um fator externo. Só serão felizes quando forem ricas; quando forem famosas; quando forem amadas; quando arranjarem um bom emprego; quando não tiverem problemas; e a lista prossegue sem fim.

E nós? Será que também estamos condicionando a nossa felicidade a algum acontecimento, a algum bem material, a alguma pessoa? Será esse o caminho da felicidade? Certamente, não. A felicidade não está fora de nós. Ela é, antes de tudo, um estado de espírito, uma maneira de ver a vida e não um determinado acontecimento.

Deus, que nos quer bem e, portanto, deseja a nossa felicidade, não faria com que este sublime sentimento ficasse na dependência de algum evento futuro, incerto e externo.

Podemos alcançar a felicidade hoje, agora, a despeito dos problemas que estejamos enfrentando. Basta olhar a vida com outros olhos, mudando as lentes pelas quais enxergamos os fatos.

A vida não é um problema, é um desafio.

Ela nos apresenta oportunidades de crescimento, notadamente nos setores onde mais necessitamos. Por detrás dos problemas existem lições, desafios, tarefas. E grande ventura tomará conta de nós quando vencermos os obstáculos que a vida nos apresenta. O Sermão da Montanha é a pura prova de que somente serão bem-aventurados aqueles que souberem superar as dificuldades da vida. Se o amigo leitor ainda não está convencido, basta então olhar para as pessoas felizes e verificar que todas elas passaram por grandes provas e expiações. Lembremo-nos dos primeiros cristãos, que seguiam cantando alegres até a arena onde seriam devorados pelas feras.

Lembremo-nos da felicidade de Francisco de Assis, conquistada na humildade, na pobreza e no serviço ao próximo. O santo da humildade era moço rico, mas vivia amargurado na riqueza que possuía. Só encontrou a paz depois que renunciou à vida fácil e se entregou à riqueza do espírito. Não nos esqueçamos de que Paulo de Tarso, que na condição do poderoso Saulo era infeliz, mas voltou a viver após o célebre encontro com Jesus na Estrada de Damasco. Paulo perdeu o poder temporal, mas encontrou a felicidade pessoal. Gandhi encontrou a sua felicidade na luta pela paz. Madre Tereza e Irmã Dulce, apesar dos inúmeros padecimentos que sofreram, conseguiram encontrar a felicidade na felicidade que podiam proporcionar aos desvalidos do caminho. Albert

Schweitzer[1], médico, encontrou a felicidade vivendo 52 anos de sua vida entre os povos primitivos da África.

Como esquecer a permanente alegria de Chico Xavier? E olha que problemas na vida não lhe faltaram. Perguntem ao médium de Uberaba se ele estaria disposto a passar por todas as provações que a vida lhe marcou. A resposta já é conhecida de todos. Chico já disse mais de mil vezes que faria tudo de novo e que pretende, no mundo espiritual, continuar a sua tarefa de médium.

Então, amigo, a felicidade não consiste em ter bens materiais, posição social ou poder político.

A felicidade não pode ser conquistada fora de nós,
embora seja sempre lá que a procuramos.

Vicente de Carvalho já considerou que a felicidade existe, mas é difícil de ser alcançada, porque está sempre onde a pomos e nunca a pomos onde estamos. E nós já dispomos de tudo para sermos felizes hoje, apesar das dificuldades pelas quais atravessamos. Aliás, são os desafios que nos impulsionam ao progresso. Já pensou o que seria da sua vida sem desafios? Será que você agüentaria

1 – Albert Schweitzer (1875-1957), médico, teólogo, escritor e filósofo. Em 1952, foi laureado com o Prêmio Nobel da Paz. Aos 26 anos, tinha diplomas de doutor em filosofia, teologia e música. Depois, com 30 anos, deixou suas carreiras para estudar medicina, alegando que estava cansado de palavras e queria ação. Decidiu partir para a África, em trabalho missionário, exercendo a medicina em plena selva junto aos irmãos daquele continente (*Albert Schweitzer por ele mesmo*, Ed. Martin Claret).

passar o resto de sua vida deitado numa rede? Por quanto tempo você conseguiria viver na ociosidade? Nunca vi um espírito superior ficar um minuto sem trabalho. Encaremos a vida com os olhos do bem, com a visão do amor e com o concreto desejo de olharmos à nossa volta e verificarmos que o Pai tudo nos legou para que a nossa felicidade se efetive já. Abençoemos o trabalho em que a vida nos situou; santifiquemos a família terrena do jeito que os familiares são; enfrentemos com dinamismo e alegria os obstáculos da vida e assim, amando e servindo, haveremos de encontrar a felicidade que há muito tempo espera por nós.

Será que você vai concordar comigo?

Você está sofrendo?

"A minha gente sofrida despediu-se da dor,
pra ver a banda passar, cantando coisas de amor..."
Chico Buarque

Dificilmente alguém diria que não. Se não está sofrendo agora, certamente já experimentou situações desagradáveis no passado. E todos estamos convictos de que novos problemas nos aguardam. André Luiz chegou a asseverar: "Depois de um problema, aguardar outros"[1]. Será que o leitor pensa que estou sendo pessimista?

Não, não estou. Apenas estou vendo a dinâmica da vida. O sofrimento ainda compõe o quadro das criaturas viventes no planeta Terra. Catalogado pelos mensageiros da Codificação como um mundo de expiação e provas, a dor e o sofrimento ainda são nossas companhias. Mas será que estamos sendo punidos pelas divindades celestes?

1 – *Sinal verde*, psicografado por Francisco Cândido Xavier, Ed. CEC.

Tantos são os problemas, individuais e coletivos, que por vezes chegamos a pensar que Deus deve estar irado com seus filhos. Acompanha-nos, quase sempre, uma idéia de punição ou castigo divino, aliada, também, a uma crença de recompensa pelo nosso bom comportamento. Tal qual crianças espirituais, ainda acreditamos em prêmios e castigos divinos. Essa idéia pode ter sido útil em eras remotas da civilização. Hoje, porém, já podemos compreender melhor o funcionamento da Justiça Divina.

Na verdade, Deus não recompensa e nem castiga qualquer um de seus filhos. Ele apenas criou leis perfeitas que governam o universo. E nós suportamos, nada mais, nada menos, as conseqüências dos nossos próprios atos. Observando as leis do bem universal, haveremos de colher o bem em nossa vida; ignorando-as, porém, só colheremos dor e sofrimento. A opção será sempre nossa.

O Mestre Jesus ensinou: "A cada um segundo as suas obras". Então haveremos de colher apenas aquilo que plantarmos. Portanto, o sofrimento que hoje nos visita é mera decorrência de nossas ações pretéritas, quer daquelas praticadas na presente existência, quer daquelas outras, praticadas em vidas anteriores.

Porém, o mais importante é a certeza de
que todo o mal procede de nós mesmos.

O Espiritismo, que já matou a morte, também matou a crença na sorte e no azar. Substituiu a falsa idéia da casualidade do nosso destino pela certeza da CAUSALIDADE, ou seja, tudo o que nos acontece procede de uma causa. O efeito que hoje experimentamos deriva de uma causa que no passado praticamos. É a aplicação da regra de que não há efeito sem causa. E essa causa não está no próximo, no vizinho, no familiar, no inimigo, no governo. Está em nós. Tudo o que nos acontece é de nossa inteira responsabilidade. Isso é o carma, ou seja, as reações condizentes com as nossas ações pretéritas.

> O carma será positivo ou negativo de acordo com a natureza positiva ou negativa de nossas ações.

Vejamos os exemplos que estão debaixo do nosso nariz: se eu não fizer a higiene bucal após as refeições, certamente terei problemas dentários em breve; se abusar de alimentos gordurosos, problemas digestivos me aguardam; se me entregar ao cigarro, desordens pulmonares e circulatórias serão as conseqüências; se me tornar um beberrão, o fígado haverá de reclamar. E aí não poderemos culpar a cárie, a gordura da carne, o fabricante do tabaco e da bebida alcoólica. Mas se por outro lado vier a semear o bem, haverei também de colher reações positivas.

Enfim, somos os responsáveis por nossos atos. Essa conclusão talvez seja uma das mais importantes em nossa vida. O homem sempre buscou responsáveis externos pelos seus problemas. Buscou no acaso a explicação para as suas desditas. Procurou no azar a justificativa para o seu fracasso. Agora, sabendo que tudo o que nos acontece foi desencadeado por nós mesmos, por nossos pensamentos, crenças e atos, haveremos de dar um mergulho interior e verificar quem realmente somos e ASSUMIR O COMANDO DA NOSSA VIDA. Chega de acreditar no destino, na sorte, no azar. Chega de colocar a culpa nos outros pela nossa infelicidade.

Que maravilhoso é poder ser o
construtor do próprio destino.

Agora o mais importante mesmo é saber que podemos alterar o nosso carma. Sim, podemos criar novas ações positivas que desencadearão novas reações também positivas. Assim, diante do sofrimento que nos visita, não basta lamentar, sofrer sem razão e acreditar que nada possa ser feito. O carma não é imutável. O carma existe para ser transformado. Diante do sofrimento, perguntemos o que ele tem para nos ensinar. O sofrimento vem para dizer que nos desviamos da rota divina da felicidade. E ele mostra qual foi o desvio. Por exemplo: se o problema é doença, muito provavelmente desrespeitamos as leis de conservação do corpo físico; se o problema é de relacionamento familiar, certamente provocamos desarmonias naquele grupo que hoje reclama de nós o que no passado lhe negamos.

Portanto, meu amigo, poderemos concluir que problemas são soluções. Aliás, como foi dito, a vida não tem problemas, a vida tem desafios. Os problemas surgem quando perdemos a capacidade de gerenciamento dos desafios, principalmente porque fugimos das lições propostas pela vida ou então porque nos achamos incapazes de resolvê-los. A doença pode ser o caminho da cura; a desarmonia pode ser o caminho da união; o mal poderá ser a estrada do bem. Tudo depende de nós. Tudo dependerá de como enfrentarmos a vida. Tudo dependerá de você assumir o comando da sua vida.

TUDO DEPENDE DE VOCÊ.

Será que você quer mesmo assumir o comando da sua vida?

Por que não experimenta?

Você é bom motorista?

"Boas são as leis:
melhor o uso delas."
Antonio Ferreira

O recente Código Nacional de Trânsito já demonstrou que melhorou a situação do trânsito no país. A imprensa noticiou uma estatística feita pelo Departamento Nacional de Trânsito, indicando que no período de Carnaval do ano de 1998, o número de acidentes foi 45% menor em comparação com o de 1997 (Revista *Veja*, abril de 1998). Segundo reportagem da mesma revista, na prática, isso significa que nos cinco dias de festejos carnavalescos ocorreram 1800 acidentes a menos que na média histórica dos anos anteriores. E o resultado é anunciado: 120 vidas poupadas. Se o ritmo persistisse, até o final daquele ano estimava-se que 4000 pessoas deixariam de morrer por acidentes de trânsito.

Nada obstante, ainda é grande a nossa indisciplina e irresponsabilidade. Tal como crianças, relutamos em observar leis, cujos objetivos são a nossa própria segurança, o nosso próprio bem-estar. Por exemplo: o uso do cinto de segurança só foi realmente observado pela maioria da população após a imposição de duras multas para os que continuavam a não usá-lo. Curioso é que, antes da entrada em vigor do atual Código de Trânsito, pelo qual o uso do cinto passou a ser obrigatório em todo o território nacional, víamos motoristas que usavam o cinto naquelas cidades em que a lei local assim exigia, deixando de usá-lo nas demais. É como se nas primeiras cidades os acidentes pudessem ocorrer e nas últimas jamais ocorressem.

Ora, quem mais se beneficia do uso do cinto de segurança é quem o utiliza. Mas a nossa irresponsabilidade é tão grande que o Estado se vê obrigado a nos punir quando descumprimos regras que somente nos protegem.

Mas será que em relação às leis espirituais o mesmo fenômeno não estaria se repetindo? Será que temos sido bons motoristas nas estradas da vida?

Será que temos observado as leis
divinas que governam as nossas vidas?

E olha que as leis divinas são tão antigas que ninguém pode alegar ignorância. Como alegar desconhecimento das dez regras de ouro contidas no Decálogo[1]? Moisés recebeu

1 – Decálogo: os dez mandamentos.

os dez mandamentos cerca de 1200 anos antes de Cristo. Logo, conhecemos o alicerce de toda a legislação divina há mais de três mil anos, pelo menos. Quantas encarnações não tivemos somente nesse período?

Nada obstante, Cristo ampliou os horizontes do Decálogo e nos ensinou que toda a lei poderia ser resumida no mandamento do amor. Assim, a lei do amor é aquela que governa as nossas vidas. Por essa lei é que devemos nos conduzir. As leis cósmicas funcionam como as regras de trânsito: indicam os caminhos permitidos e os perigosos; a velocidade máxima permitida com a qual poderemos seguir sem perigo; a forma pela qual devemos conduzir o nosso carro físico, a fim de que possamos chegar ao nosso destino de espíritos perfeitos mais depressa e sem grandes acidentes.

Ignorar as leis divinas é andar pelas
estradas da vida num carro em alta velocidade,
sem freios e com pneus carecas.

O amigo já pode prever o que acontecerá: a colisão será inevitável, nossa vida física poderá ficar comprometida; as multas haverão de nos ser impostas por meio de sofrimentos, dores, doenças, tudo isso com graves e desastrosas conseqüências para a nossa caminhada evolutiva. A infelicidade baterá à porta daqueles que persistem em andar pela vida sem observar os mandamentos divinos. Poderemos, até, ver cassada a nossa habilitação, regressando ao plano espiritual na condição de pilotos desastrosos e imprudentes, obrigando-nos a penosos estágios em zonas de sofrimento.

Porém, se nos conduzirmos como motoristas atentos às leis divinas enunciadas por Moisés, engrandecidas pelo Cristo e ampliadas pela Doutrina Espírita, haveremos de atravessar as estradas e os desertos da vida, nunca nos faltando o combustível da fé, os freios da paciência e as luzes da sabedoria. Basta que estejamos atentos ao código universal da evolução, cuja lei maior é o amor rememorado pelo Mestre Jesus. Sejamos, pois, motoristas prudentes e atentos às regras que o Pai nos concedeu para a nossa felicidade. Porém, se preferirmos o famoso jeitinho de burlar as leis, haveremos de experimentar dor e sofrimento, mas aí a opção será exclusivamente nossa.

Que tal renovar a sua carta de motorista?

Você tem medo da morte?

"A morte é apenas um eclipse momentâneo
na grande revolução das nossas existências."
Léon Denis

Talvez essa seja a pergunta mais temida pelas pessoas. Algumas chegam a dizer que nem querem pensar no assunto. Pois é, a morte ainda é uma questão delicada para a grande maioria das pessoas. Afinal de contas, ninguém deseja morrer, razão pela qual muitos nem querem pensar no assunto. É realmente engraçado o nosso mecanismo de defesa: não pensamos no assunto para que o fato não venha a ocorrer. Outro dia, indagaram a um amigo se ele tinha plano de saúde. Prontamente, disse ele que não, pois achava que poderia atrair doenças. Meses depois esse conhecido faleceu, vítima de moléstia respiratória, apesar de não ter plano de saúde.

Interessante é notar que a morte, apesar de recusada por muitos, de temida pela maioria das pessoas, é a única certeza que o ser humano tem. O homem nasce e a única coisa que ele sabe que efetivamente vai ocorrer em sua jornada é a morte. Sobre o mais ele não tem domínio: não sabe quanto tempo viverá, não sabe se será rico ou pobre, feliz ou infeliz, mas sabe que vai morrer.

Mas se um materialista disser que tem medo da morte não será de se espantar. Para quem acredita que a vida começa no berço e termina no túmulo, a morte deve ser mesmo um terror. Representa o fim, o vazio, enfim, o nada.

Talvez muitos dos leitores já até pularam de página para mudar de assunto. Será que você vai até o fim? Acredito que sim. É que para os espíritas, ao menos em tese, a morte ganha outro significado. Morrer não é o fim. A morte significa apenas uma mudança de plano da vida. A nossa essência é espiritual. Somos espíritos eternos, temporariamente mergulhados na carne para o desenvolvimento das nossas potencialidades. Com a morte, abandonamos o corpo físico, mas o espírito continua a sua jornada evolutiva em outros planos da vida. O próprio Mestre Jesus esclareceu: "Há muitas moradas na casa de meu Pai", dando a entender que a vida continua palpitante em outras dimensões de existência. O mesmo Jesus deu-nos provas de que a vida continua depois da morte ao aparecer aos seus discípulos, após a crucificação, por inúmeras vezes.

E os espíritos dos chamados mortos continuam aparecendo aos vivos para dizer que a morte não existe. Em todo o mundo, os espíritos dão provas de que a vida continua após a morte. Inúmeras pessoas em todo o mundo já testemunharam algum fato que indica a continuidade da vida após a morte. Vários médicos, não espíritas, fizeram relatos de pacientes que aparentemente tinham morrido, mas instantes depois voltaram com depoimentos sobre o outro lado da vida[1].

Só pela abençoada mediunidade de Chico Xavier, mais de dois mil espíritos já se comunicaram. Inúmeras famílias, que não eram espíritas e nem conhecidas de Chico Xavier, foram agraciadas com mensagens de parentes desencarnados. Essas mensagens vieram carregadas de detalhes e de informações a que só membros da família tinham acesso.

Lembro-me de que, em uma delas, Chico recebia mensagem de um menino recentemente desencarnado. O pai estava desesperado e descrente. Era um materialista convicto. Foi ao Chico levado pelo desespero. Porém, na mensagem recebida, o filho identifica-se ao pai por meio de um desenho que costumeiramente fazia em vida. Aquele espírito mostrou ao pai que continua vivo. E deu a prova: pelas mãos de Francisco Xavier, rabiscou o mesmo desenho que freqüentemente fazia em seus cadernos, livros, papéis, etc. Aquele desenho era a marca registrada do

1 – Veja o livro *Vida depois da vida*, dr. Raymond Moody Jr., Ed. Nórdica.

filho. O pai, comovido porque Chico desconhecia aquela particularidade do filho, acreditou que a morte não existe.

Sim, meu amigo, o ESPIRITISMO MATOU A MORTE. Mostrou-nos que a vida continua em outros planos, resgatando a idéia da imortalidade da alma. Ninguém morre. Somos espíritos eternos.

E tudo seria tão diferente se vivêssemos
sob o prisma da imortalidade.

Em primeiro lugar, a morte não seria essa coisa tão assustadora. Em segundo lugar, haveríamos de compreender e aceitar as pessoas, pois saberíamos que cada qual se situa em determinada faixa evolutiva, segundo progressos conquistados. Finalmente, não teríamos tanto apego aos bens materiais, porque tudo é transitório, tudo é passageiro. Quem se sente espírito eterno nada teme, pois sabe que continuará vivo para sempre, mesmo que passe pelas experiências mais desagradáveis da vida. A dor também é transitória. A doença também cessará. A própria morte é apenas uma transformação, uma mudança. Nada mais do que isso. E para não ter medo da morte é só compreender que a vida é eterna, que você é imortal.

Viva como um espírito que tem um corpo,
e não como um corpo que tem um espírito.

E você, sente-se como espírito eterno? Que bom seria se todos nós vivêssemos a nossa espiritualidade!

Viver espiritualmente não é só ficar rezando, meditando; é, antes de tudo, viver como sendo um espírito momentaneamente ligado a um corpo físico. Já pensou nisso seriamente? Pense que você é muito mais do que o seu corpo.

É só começar para experimentar uma enorme sensação de paz e felicidade invadindo o seu ser.

Que bom, não é mesmo?

Você é amável?

"Quando o homem chega à plenitude do amor,
neutraliza o ódio de milhões."
Mahatma Gandhi

Olhe que indagação interessante. O que é ser uma pessoa amável? Segundo o dicionário, amável é a pessoa digna de ser amada. Certamente é a pessoa que vive no amor, sendo dócil nas palavras, gentil nas atitudes, educada no falar, paciente no ouvir, alegre no servir. Como é bom poder conviver com uma pessoa dessas, não é verdade? Parece que elas sempre estão de bem com a vida. Ao menor contato com elas, logo sentimos uma energia diferente, uma espécie de bem-estar contagiante.

Todavia, logo me vem à lembrança aquelas outras pessoas, talvez a maioria de nós, que ainda não desenvolveram a amabilidade. Parece que sempre estão de mau humor, sempre desfiam um rol de queixas intermináveis, sempre se colocam como vítimas do mundo, sempre se postam na posição de incompreendidas pela vida, clamando que foram esquecidas por Deus. Estão freqüentemente irritadas, azedas e enfezadas. E todos fogem dessas pessoas, pois elas carregam grande carga de "toxidade".

Mas voltemos a falar das pessoas amáveis. Qual seria o segredo dessas pessoas? Que misteriosa energia possuem? Conheço uma pessoa dessas. É uma incrível senhora já bem idosa e que trabalha no Centro Espírita Aprendizes do Evangelho, na Vila Manchester, São Paulo. Seu nome é Diva, pequena no tamanho, grande no espírito. Conheço dona Diva, como é chamada naquela casa, há seis anos, aproximadamente. Posso assegurar que nunca ouvi qualquer reclamação sair de sua boca. Costuma estar sorrindo, irradiando uma profunda paz ao menor contato que mantemos com ela, apesar das grandes dificuldades que marcam a sua existência.

Apesar da avançada idade, dona Diva trabalha firme. Ainda se ocupa de todas as tarefas do lar, cozinha, vai à feira, limpa a casa e cuida muito bem do marido. Sua visão física está reduzida a quase 30%. Nem os livros que tanto ama ela hoje pode desfrutar. Mas não reclama. Pergunto-lhe se está bem e ela prontamente responde: "Cada dia estou melhor. Tenho problemas, mas sou muito feliz".

Que mistério!

A nossa amiga, que segundo muitos deveria estar totalmente aposentada, trabalha, trabalha, mais e mais. Vai ao Centro aplicar passes duas vezes por semana, faça sol ou faça chuva. Também vai à nossa creche aplicar passes nas crianças carentes; aos domingos coopera no Centro Espírita Paz e Amor, também aplicando passes. Dona Diva ainda realiza um trabalho maravilhoso de implantação do Evangelho no Lar, indo pessoalmente a diversas casas para a realização da reunião. Ainda tem tempo para arrecadar fundos visando à aquisição de livros espíritas para serem distribuídos a pessoas carentes. Sua casa é um posto avançado de caridade, para onde as pessoas levam jornais, revistas, latas de refrigerante, objetos que são posteriormente vendidos e convertidos em alimentos aos necessitados.

Outro dia, realizou-se em nossa casa espírita uma palestra pública para a qual foi convidado um renomado expositor espírita. O início estava marcado para as vinte horas, a grande maioria dos ouvintes foi chegando próximo daquele horário. Mas dona Diva estava lá desde as dezenove horas. Fora mais cedo para arrumar o salão, ajeitar as cadeiras, limpar as mesas e ainda aproveitou para limpar os banheiros. Às vinte horas, lá estava sentada nas primeiras fileiras, sorridente, feliz e sem lançar qualquer reclamação pela execução daqueles serviços simples que poucos gostam de fazer.

Qual seria a energia capaz de fazer dela uma pessoa tão jovem, alegre e produtiva? Será que ela estaria tomando algum medicamento milagroso? Certamente ela deve tomar todos os dias a melhor e mais poderosa vitamina que existe na face da terra. Quer a receita? Vitamina A de AMOR. Só o amor é capaz de nos sustentar no bem. Só o sentimento sublime do amor pode nos dar a alegria de viver.

Quem ama sempre está bem, inclusive fisicamente.

Quem vive na tristeza, no tédio, na ociosidade, na reclamação, certamente não está vivendo no amor. Não é uma pessoa amável. E, por conseqüência, deve estar cheia de doenças.

Mas muitos podem estar perguntando: "Como posso amar?" E a resposta é a mais simples possível: amando. Sim, o amor não vai surgir em nossas vidas por decreto divino. Não devemos ficar aguardando o dia em que, por encanto, o amor vai surgir em nossas vidas. O amor já está em nós, porque Deus é Amor e nós somos a melhor obra do Criador. Portanto, para amar é preciso querer amar. É como a planta que necessita de cuidados. O amor é a mesma coisa. Todos os dias precisamos regar a planta da vida com nossos melhores desejos de entender o propósito que ela tem para cada um de nós. Se não regarmos, a planta morrerá. Assim também o amor.

Precisamos sair do discurso do
amor para a vivência do amor.

A palavra amor ficou desgastada porque as pessoas a utilizam muito no discurso, mas pouco na prática. E poderemos começar pelas pequenas coisas, pelas pequenas atitudes, pois ninguém esperará amar o mundo se ainda não for capaz, por exemplo, de amar as formigas.

Olhemos à nossa volta e verifiquemos a quem a vida nos pede para amar agora, seja no lar, seja no trabalho, seja na via pública. Todo aquele que de alguma forma cruza o nosso caminho é alguém que a vida nos convida a amar. Principalmente aquelas pessoas de difícil trato. Elas são o grande convite da vida para a nossa redenção. É porque não basta amar as pessoas de quem já gostamos. Preciso é exercitar com aquelas de difícil relacionamento.

Mas muitos estarão dizendo que se trata de tarefa difícil ou quase impossível. Não é, pois se fosse, Jesus, o nosso mestre, não nos teria recomendado o amor incondicional. Ocorre que o amor é uma conquista diária. Ninguém poderá amar o próximo de um dia para o outro. Então, se ainda não somos capazes de amar alguém plenamente, poderemos começar a empreitada com pequenos gestos. Por exemplo: se ainda não sou capaz de amar um inimigo, posso, pelo menos, começar a não sentir ódio por ele. Se ainda não posso amar o meu vizinho, posso, desde já, não ter preconceitos contra ele, endereçar-lhe, ao menos, um sorriso matinal.

O amor pode ser comparado à grande escada de Jacó, cujos degraus nos levarão à plenitude do ser espiritual. Mas para chegar ao topo da escada é preciso subir degrau por degrau. É preciso dar o primeiro passo. E aqui não podemos esquecer da grande equação divina da felicidade: AMAR PARA SER AMADO. Só receberá amor quem der amor. Em regra, a humanidade está na contramão, pois todos esperam o amor, mas poucos amam. Que tal começar agora? Comece por você, sim. Ame-se, sem egolatria. Sinta-se um ser perfeito, sinta-se filho do amor divino. Logo em seguida, olhe ao seu lado e note o seu próximo e perceba que a vida lhe convida ao exercício do amor e não espere nem mais um minuto para ser feliz.

Será que você quer se tornar uma pessoa amável?

Você é juiz?

"Estamos habituados a julgar os demais por nós
mesmos e, se de nossos defeitos complacentemente
os absolvemos, condenamo-los severamente
por não terem as nossas qualidades."

Balzac

A pergunta certamente não quer se referir àqueles que foram investidos pelo Estado na condição de magistrados. Estes, por dever e espinhoso ofício, julgam todos os dias, a todas as horas, a todos os minutos. E, aliás, são muito criticados quando não julgam, quando retardam suas decisões.

Na técnica e na arte de julgar, os magistrados, tanto quanto possível, devem abster-se de considerações pessoais sobre os envolvidos no processo. Lembro-me de uma das figuras mais ilustres da magistratura brasileira, o ministro Mário Guimarães, que em célebre obra ensinava: "Fuja o magistrado dos argumentos capciosos[1]. Sofismas[2] não se toleram num rábula[3]. Muito menos no austero aplicador da lei. Nem se utilize de expressões exageradas. Indicam paixão ou falta de equilíbrio mental. Muita serenidade nas palavras. Quem fala, na sentença, é o juiz, e o juiz não tem rancores"[4].

Certamente, o grande magistrado Mário Guimarães queria dizer que o juiz deve julgar o fato, a conduta realizada pelas partes, abstendo-se de julgar a pessoa.

Mas se temos homens investidos pelo Estado na função de julgadores temos outros que exercem análoga função, embora sem aquela investidura política. Freqüentemente encontramos na vida os julgadores de plantão. Estão sempre prontos para emitir julgamentos da vida alheia. Ao menor deslize de um amigo, parente ou desconhecido, estão lá, de martelo na mão, proferindo suas sentenças: "CULPADO", dizem eles. E, por incrível que pareça, julgam sem conhecer o processo! Emitem decisões sem conhecer as pessoas, sem conhecer as circunstâncias do caso, ignorando o passado dos envolvidos naquela trama. Na Justiça Oficial, a lei impõe ao juiz, antes de proferir a sua sentença, o dever de fazer um relatório do processo, exatamente para obrigar o

---

1 – Capcioso: ardiloso, que ilude.

2 – Sofisma: argumento falso formulado de propósito para induzir outra pessoa ao erro.

3 – Rábula: indivíduo que advoga sem possuir o diploma.

4 – *O juiz e a função jurisdicional*, Ed. Forense.

magistrado a conhecer todos os detalhes do caso a ser apreciado. Isso é para evitar o chamado julgamento sem conhecimento de causa.

Porém, é o que fazem os julgadores de plantão, aquela turma que se arvorou na condição de censores da vida alheia. Essa turma é antiga. Lembro-me deles quando flagraram a mulher em adultério e a levaram a Jesus. Iriam apedrejá-la até a morte, era o costume da época. Mas como queriam testar o Mestre, pediram a Ele manifestação sobre o flagrante. Diante daquele tribunal popular, Jesus silenciou, rabiscava o chão numa atitude de completa indiferença ao clamor popular, dizendo a todos:

"Quem de vocês não tiver pecado, atire nela a primeira pedra[5]."

Narra o Evangelho que todos foram deixando o local, um a um, primeiro os mais velhos, depois os mais novos. Ninguém ousou lançar a pedra. Ninguém ousou condenar a mulher adúltera, certamente porque, num rápido exame de consciência que fizeram, concluíram que não tinham moral para condenar aquela mulher. Saíram corados de vergonha.

Quantos daqueles homens também
já não haviam adulterado?

A sociedade daquela época, hipócrita como a de hoje, esqueceu que o adultério envolve sempre duas pessoas,

5 – João, capítulo 8, versículos 8 a 11.

mas em regra condena-se apenas um dos envolvidos, geralmente a mulher. Onde estava o homem que adulterava com a mulher que seria apedrejada e morta não fosse a intervenção de Jesus? A história não registra sequer o seu nome. Era um homem.

Mais importante é acompanhar o diálogo que se estabeleceu entre Jesus e a mulher, logo após a debandada dos julgadores desmoralizados. Ele perguntou onde estavam as pessoas que a condenavam. E Jesus então proferiu uma das mais belas sentenças que a humanidade conheceu: "EU TAMBÉM NÃO A CONDENO. VÁ E NÃO PEQUE MAIS!"

Veja-se, então, que Jesus não condenou a mulher adúltera, ao revés, amou-a profundamente a ponto de impedir que fosse sacrificada naquele julgamento popular impiedoso. Jesus arriscou a sua própria vida, pois aqueles que impedissem o cumprimento das leis da época também poderiam sofrer a mesma pena, no caso, a morte. Notamos que o Mestre também não julgou a turba que pretendia apedrejar aquela mulher. A eles não fez qualquer comentário, não teceu qualquer crítica. Apenas disse que somente poderiam apedrejá-la os que estivessem sem pecado.

Será então que Jesus aprovou o adultério? Certamente, não. Tanto é assim que Ele recomendou à mulher que não voltasse a pecar. Jesus reprovou o ato, mas não a pessoa. Tendo Jesus como guia, hoje nós podemos não concordar com o adultério, mas devemos respeitar aqueles que se entregam a essa conduta. Podemos reprovar o uso de drogas, mas nunca odiar os drogados; podemos discordar do homossexualismo, mas respeitar os irmãos que possuem opções sexuais diferentes das nossas.

Haveremos de combater o crime, salvando os criminosos.
Cuidaremos de extinguir a doença, não os doentes.

Se assim não agirmos por uma questão de espiritualidade, haveremos de assim proceder por uma razão de inteligência. Quem garante o que nos sucederá amanhã? Será que alguém pode assegurar, com absoluta convicção, o que nos acontecerá no futuro? Quem garante que em breve tempo não deparará com alguma situação que hoje tanto critica? Não é impossível amanhã depararmos com algum caso de adultério na família, com algum filho que enverede pelo caminho das drogas ou que opte por uma vida sexual diferente dos padrões convencionais.

O grande apóstolo Paulo escreveu: "Homem, você julga os outros? Seja quem for, você não tem desculpa. Pois, se julga os outros e faz o mesmo que eles fazem, você está condenando a si próprio"[6].

Então, querido leitor, busquemos o exemplo de Jesus para criticar menos e ajudar mais. A calúnia, a difamação e a maledicência produzem lixos mentais que intoxicam muito mais quem os produz do que quem os recebe.

Que tal abandonar a toga?

6 – Romanos, capítulo 2, versículo 1.

Você está ocioso?

"A porta entre nós e o céu não
poderá abrir-se enquanto esteja cerrada
a que fica entre nós e o próximo."

Veratour

O desemprego é um dos grandes fantasmas que assombram o ser humano. Atualmente, chega a ser um dos grandes problemas mundiais. Quer nos países ricos como nos chamados países do terceiro mundo, o fenômeno do desemprego está presente. Vive-se um conflito interessante: o número de empregos não cresce na mesma proporção do número de pessoas que estão aptas a ingressar no mercado de trabalho. Fala-se em 800 milhões de desempregados no mundo todo, cifra correspondente a cerca de 14% da população mundial.

Porém, para os trabalhos voluntários e logicamente não remunerados, vive-se um fenômeno oposto. O número de ofertas é muito superior ao número de candidatos. Há vagas sobrando em todos os setores do serviço social. Nas creches e orfanatos, crianças carentes aguardam o que muitas vezes sobra em nossas casas e cujo destino é a lata do lixo; aquelas roupas trancadas em nossos armários, que já não usamos há tempo e que hoje apenas servem de repasto às traças. Mas, se não possuímos bens materiais, as mesmas crianças esperam pelo nosso sorriso, pelo nosso afeto, pelo nosso carinho.

Nos hospitais, inúmeros doentes anseiam por uma visita, ainda que de alguém desconhecido. Esperam por uma palavra amiga, por alguém que possa amenizar suas dores.

Nos asilos, irmãos em término de jornada aguardam também por uma simples visita, principalmente aqueles que foram esquecidos por seus familiares.

Nos albergues, andarilhos da vida almejam receber um prato de sopa numa noite fria, um banho ou alguém que lhes dê um pouco de atenção.

Certa feita, estava na Casa Transitória Fabiano de Cristo[1], em São Paulo, e quando de lá me retirava, de carro, notei a presença de um senhor de avançada idade, todo curvado, que parecia tomar o mesmo rumo para o qual me dirigia. Condoído com aquela situação, parei o carro e

1 – A Casa Transitória, situada na Av. Condessa Elizabeth de Robiano, 454, Belenzinho, São Paulo, atende cerca de quatro mil famílias carentes, contando com aproximadamente mil voluntários em seus quadros. Recebeu o Prêmio Bem Eficiente 1998, oferecido às instituições filantrópicas mais eficientes do país (jornal *O Semeador*, outubro de 1998).

indaguei àquele senhor qual o destino dele. Respondeu-me que iria pegar um ônibus na Av. Celso Garcia. Então, ofereci-lhe uma carona, no que ele concordou prontamente. Entrou no carro com alguma dificuldade física e logo entabulamos conversa. Respondendo às minhas indagações, me disse que era voluntário da Casa Transitória desde a sua fundação e que todos os sábados pela manhã, havia mais de 30 anos, dedicava-se aos serviços de contabilidade daquela abençoada instituição espírita.

Fiquei surpreso, pois a minha primeira impressão foi a de que ele era um dos inúmeros assistidos da casa. Quando chegamos ao ponto de ônibus, perguntei qual era o seu destino. Disse-me que iria até o Hospital do Tatuapé. Pensando que estivesse com algum problema de saúde, prontifiquei-me a levá-lo. Ele aceitou a prolongação da carona e me disse que iria ao hospital, tal como fazia todos os sábados à tarde, trabalhar como voluntário. Tomado de novo impacto, perguntei-lhe que espécie de serviços prestava: disse-me, com muita simplicidade, que havia muito trabalho a ser feito naquele hospital, desde conversar com os doentes, transmitindo-lhes palavras de carinho e conforto, como também auxiliar enfermeiros, empurrando macas, segurando o frasco de soro, enfim, pequenas tarefas de auxílio aos enfermos.

Já estava envergonhado. Eu, com o meu corpo perfeito, em plena juventude, podendo desfrutar de um carro, ainda encontrava muita dificuldade em prestar algum tipo de auxílio ao próximo. Chegando ao hospital, já nas despedidas, disse-lhe que poderia mesmo se intitular um verdadeiro espírita. Mas qual não foi a minha outra surpresa ao saber que ele não era espírita.

Afirmou que era católico praticante, que ia à missa todos os domingos e que nutria afeição pelo trabalho social espírita. Despediu-se, dizendo:

> "Os necessitados estão em toda parte e o Cristo não nos pede qualquer bandeira religiosa para servir."

Basta o desejo sincero de trabalhar em favor do próximo, nosso irmão do caminho. Afinal, quem garante que amanhã não seremos nós que estaremos num hospital, num asilo, num albergue? Disse-nos o Cristo: "Façam aos outros aquilo que gostariam que fizessem a vocês". É por isso que a nossa felicidade não pode ser construída à custa da infelicidade dos outros. Os espíritos superiores nos trouxeram o esclarecimento de que fora da caridade não há salvação[2], e nós complementamos dizendo que fora da caridade não há felicidade.

Aquele bom velhinho fazia a sua parte. Não estava ocioso, inativo. Trabalhava, sem escolher o lugar, sem preconceito religioso. Ele é um homem feliz.

Vamos arregaçar as mangas?

2 – *O Evangelho Segundo o Espiritismo*, capítulo XV, Petit Editora.

Você é médico?

"Se toda a medicina não está na bondade,
menos vale dela separada."
Miguel Couto

Com razão estão aqueles que catalogam o exercício da medicina como puro sacerdócio. O médico é aquele que nos ajuda a devolver a saúde do corpo, contribuindo, assim, para a saúde do espírito. Não há dúvida de que o bem-estar físico é um dos maiores dons que o ser humano pode possuir. A doença pode impedir o desempenho de muitas tarefas, realizações, sonhos e objetivos, trazendo, por conseguinte, maiores frustrações ao doente e com ela outras doenças.

Que alegria deve sentir o médico quando consegue devolver a saúde ao doente. Por vezes, o paciente vê no médico a sua última saída. Vê no médico o seu confessor, como se ele fosse o próprio Deus.

Porém, poucos de nós conseguimos ver no médico a figura de um educador. O médico tem várias facetas: além de conhecer medicina, é claro, desempenha outros papéis. Deve, por exemplo, ter um pouco de psicólogo, a fim de conhecer o seu paciente, detectando a alma que se encontra por trás daquele corpo. Deve também ter um pouco de curandeiro, no bom sentido, é claro, porque afinal de contas médico que não cura não é tão médico. Deve ser o facultativo muito educado e atencioso, porque na maior parte das vezes o doente está frágil, carente, e nada pior do que ingressar num consultório pela primeira vez e ter de expor suas dores para alguém que sequer lhe olha na cara.

Mas acredito que um dos mais importantes papéis do médico é o de educador. Sim, porque na hora da consulta o doente deve ser visto como um aluno, às vezes repetente. E o médico é o professor, aquele que vai explicar ao aprendiz o porquê da doença. Não certamente o lado científico, mas aqueles prováveis componentes que desencadearam a enfermidade. Muitas das doenças brotam pela forma inadequada com a qual nos comportamos. Os vícios tão conhecidos, como o cigarro e a bebida, são campeões de bilheteria nos hospitais e necrotérios. Os hábitos alimentares irregulares também ocasionam vários distúrbios orgânicos de grande monta. Sem falar nas inúmeras doenças provocadas pelos desequilíbrios emocionais. Que o digam os milhares de portadores de doenças psicossomáticas, como a gastrite, a colite, a hipertensão arterial, etc.

Certa ocasião, um famoso médico foi consultado por um homem que se queixava de inexplicável cansaço físico, estava sempre abatido, irritado e com a pressão arterial elevada. O facultativo solicitou inúmeros exames laboratoriais, e depois de realizados nenhuma alteração foi notada que justificasse aqueles sintomas. O médico então sugeriu que seu paciente procurasse levar uma vida menos tensa, que saísse mais, procurando se divertir em cinemas, teatros, etc. Assim procedeu o paciente. Mas nenhuma melhora sobreveio. Continuava do mesmo jeito. Voltou ao médico, que dessa feita mandou que procurasse fazer uma longa viagem, que conhecesse outros países, quebrando a sua rotina de trabalho. Assim procedeu o paciente. Esteve na Europa por 30 dias, conhecendo lugares belíssimos, mas a tristeza, o cansaço e a pressão elevada não o abandonavam.

Voltou de viagem e retornou ao médico, afinal de contas havia pago uma fortuna pelas consultas. O facultativo, atônito, disse que nada mais poderia fazer, a não ser recomendar-lhe, como último remédio, que fosse até um famoso circo que estava na cidade há vários meses e lá assistisse ao show do palhaço, o mais engraçado de todos os tempos. Não havia tristeza que aquele palhaço não curasse, dizia o médico.

O paciente sorriu ironicamente e disse:

"Doutor, eu não posso ir assistir àquele palhaço, PORQUE AQUELE PALHAÇO SOU EU!"

Veja, amigo, a importância de o médico conhecer a alma de seu paciente, a fim de poder propiciar o tratamento mais adequado. Chegará o dia, que não tarda, em que nenhum médico conseguirá a cura do corpo se não conseguir antes reparar os desequilíbrios do espírito. Daí por que avulta a figura do médico educador: aquele que orienta o paciente, que lhe mostra a razão da doença, que não se limita a atacar o seu efeito, mas que pesquisa sobretudo a sua causa. Não adianta, por exemplo, receitar um antiácido para a azia estomacal se não for dito ao doente a razão pela qual seu estômago está produzindo excesso de ácido. O médico deve propiciar o alívio dos sintomas, mas deve também educar o paciente para que ele entenda o processo do adoecer, do qual é o mais importante protagonista.

Mas também não basta o médico querer educar se
o paciente se comporta como um aluno rebelde.

Por vezes, nós, pacientes, estamos esperando que algum milagre aconteça. É uma atitude infantil. Fico pensando se de fato nós queremos a cura para as nossas doenças, porque na maioria das vezes mantemos os mesmos hábitos e condutas que nos tornaram enfermos. Será que aquele palhaço queria mesmo ser curado?

Você, meu amigo, que exerce a medicina, lembre-se de que o doente é muito mais do que um corpo, é muito mais do que um coração descompassado. Ou, como diria

Montaigne: "Não é um corpo, não é uma alma, é um homem". Agora, você, que está doente, não se esqueça de que o médico não lhe prescreverá remédio algum para o descaso com a sua própria pessoa.

Que tal lembrar-se disso na sua próxima consulta?

Você está doente?

"Quando a alma está pura
o corpo resplandece."
Hunter

Começo o assunto pela pergunta inversa: Será que você é uma pessoa saudável?

A maioria de nós acredita que ter saúde é não estar doente. Mas será essa afirmação plenamente correta? Segundo a Organização Mundial de Saúde, apêndice da Organização das Nações Unidas, "Saúde é um estado completo de bem-estar físico, mental e social que não consiste apenas na ausência de doença ou enfermidade".

Então saúde não é apenas sinônimo de bem-estar físico. Veja-se, em primeiro lugar, que, segundo a definição apresentada, saúde é um completo bem-estar físico. E dificilmente na face da Terra alguém pode desfrutar dessa condição. Não acredito que seja impossível, mas tenho a certeza de que são raros os que gozam de pleno bem-estar corporal.

Hora e minuto somos defrontados por novas doenças; os vírus e as bactérias multiplicam-se e transformam-se rapidamente, desafiando a medicina. Por exemplo: à beira do terceiro milênio, ainda não existe remédio que mate o vírus da gripe. Remédios existem que aliviam os seus sintomas, mas não que eliminem o vírus causador. Mesmo porque há inúmeros tipos de vírus provocadores da gripe e parece que cada epidemia é causada por um vírus diferente. Outro exemplo reside na enxaqueca, cuja cura definitiva ainda é um desafio para a medicina.

E não podemos esquecer que, ao lado de novas doenças, defronta-se a sociedade mundial com o ressurgimento de antigas enfermidades, cujo controle era dado como quase certo. Falo, por exemplo, da tuberculose, que volta à cena no mundo todo, matando hoje mais pessoas do que a Aids.

Mas não quero que o querido leitor se sinta atemorizado. Os exemplos citados foram para convencê-lo, apenas e tão-somente, de que desfrutar de um completo bem-estar físico é privilégio de poucos.

Vimos que saúde não é apenas sinônimo de um completo bem-estar físico, o que já seria tarefa bastante difícil. Ter saúde é também desfrutar de um completo bem-estar mental. Aqui a coisa fica mais séria. Lembramo-nos, por exemplo, das inúmeras fobias que atacam milhares de pessoas. Recordamo-nos, por outro lado, das neuroses, das psicoses, da depressão, da síndrome do pânico, da angústia e da ansiedade que acometem também milhões de pessoas no mundo todo. Estima-se que 15% da população mundial sofra de depressão. Isso significa, aproximadamente, 900 milhões de pessoas deprimidas no mundo todo.

Dificilmente há hoje alguém que ainda não tenha desenvolvido algum tipo de comportamento neurótico, alguma obsessão, algum trauma ou fobia.

Mas ainda não é tudo! O conceito de saúde ainda pressupõe, ao lado do bem-estar físico e mental, o chamado bem-estar social, ou seja, aquela perfeita interação do homem com o seu hábitat. Por exemplo: ninguém pode ignorar os nocivos efeitos que a poluição ambiental provoca sobre a vida das pessoas.

Então, meu amigo, pressupondo que a saúde é um completo bem-estar físico, mental e social, pode-se logo concluir que todos nós estamos doentes.

Todos nós nos encontramos na condição de enfermos reclamando tratamento sem demora.

Mas aí certamente o leitor estará perguntando: "Qual o remédio capaz de nos devolver a saúde?"

Remédio, como medicamento, ainda não foi descoberto e, por certo, custará a ser. A saída então é enxergar o ser humano como um todo. Para o médico, o paciente não pode ser visto apenas como um estômago, um rim, um coração. O médico deve descobrir a alma enferma que se esconde por trás daquela vestimenta física. A cada novo dia, a medicina vem alargando o campo das chamadas doenças psicossomáticas, vale dizer, daquelas enfermidades cuja origem se encontra na desarmonia do psiquismo. Emmanuel, espírito, em página primorosa, esclarece: "Se te encontras enfermo, não acredites que a ação medicamentosa, através da boca e dos poros, te possa restaurar integralmente. O comprimido ajuda, a injeção melhora, entretanto, nunca te esqueças de que os verdadeiros males procedem do coração"[1].

Daí por que a ciência vem formando um conceito de medicina holística, ou seja, a medicina que enxerga o doente não apenas como um órgão adoentado, mas como um ser integral, dotado de mente e corpo e influenciado pelo meio social em que vive.

Mais importante, porém, é descobrir o papel da doença em nossas vidas. Por que a doença se instala em nós? Para nos atormentar, dirão muitos. Ledo engano.

> A doença vem exatamente para nos dizer que aquele equilíbrio que deve existir entre mente, corpo e meio social não anda bem.

Muitas vezes, nós nem chegamos a notar as nossas condutas desarmoniosas. Por exemplo: se começo a fazer

1 – *Fonte viva*, psicografado por Francisco Cândido Xavier, Ed. Federação Espírita Brasileira.

uso de bebidas alcóolicas, a princípio poderei até não sentir maiores problemas físicos. Mas, se persisto no uso imoderado, logo passarei a registrar distúrbios digestivos e o fígado haverá de chiar. O mecanismo da dor que a doença provoca tem a função similar à de um alarme: dispara em situação de perigo, exatamente para nos chamar a atenção. E quanto maior for a nossa desatenção maior o alarme, maior o nosso sofrimento.

Portanto, a doença é um grande aviso para que cuidemos melhor da nossa vida, do nosso corpo, da nossa mente e do meio social em que vivemos. A doença, em última análise, é o processo inicial da cura. Doença não é um fim e nem o fim, mas apenas um meio, um caminho de que a vida dispõe para nos reconduzir à saúde integral, restaurando em nós a plenitude do ser. Mas será que nós queremos realmente a cura? Será que desejamos abandonar os velhos hábitos que nos tornaram doentes? Emmanuel indaga:

> "De que vale a medicação exterior, se prossegues triste, acabrunhado ou insubmisso?"[2]

O amorável Bezerra de Menezes concede-nos depoimento expressivo: "Fui médico quando encarnado na Terra e me preocupei em demasia com a saúde coletiva, desdobrando-me em muitos esforços para ver uma pessoa

2 – *Fonte viva*, Ed. Federação Espírita Brasileira.

sorrir ao ter recuperado a saúde, porém, notei mais tarde que muitos não querem se curar, por não terem interesse em mudar de vida. Tomam uma injeção e neutralizam seu valor de cura pelos fluidos do ciúme e do egoísmo; tomam um xarope e isolam seu poder curativo pela incompreensão e a dúvida; ingerem pílulas e distraem seus elementos harmoniosos pela vingança e o ódio; recebem passes e água fluidificada e desintegram seu energismo com o vírus da calúnia e com o ácido da impaciência[3]".

Sem dúvida todos nós, coletivamente, estamos doentes, mas só haveremos de obter a cura total quando nos afeiçoarmos aos ensinamentos de Jesus, o Médico dos Médicos, que nos legou um santo remédio chamado AMOR. Aliás, a própria medicina já vem salientando o papel das emoções positivas na prevenção e cura das doenças. Há um excelente livro sobre o tema, cujo título não deixa a menor dúvida sobre o que estamos afirmando: *Quem ama não adoece*, do dr. Marco Aurélio Dias da Silva, cardiologista do Instituto Dante Pazzanese, São Paulo[4]. Então compreendemos e sentimos porque Jesus é o grande médico de nossas almas.

3 – *Saúde*, Ed. Fonte Viva, psicografado por João Nunes Maia, prefácio de Bezerra de Menezes.

4 – O livro é formidável. O dr. Marco Aurélio, que não é espírita, afirma textualmente: "... as pessoas adoecem por não se amar o suficiente e, por conseguinte, não ser capazes tampouco de amar os outros. A doença surge então como um meio do indivíduo de fazer frente a seu conflito interior, que poderia receber outras tentativas de solução" (*Quem ama não adoece*, Ed. Best Seller).

Enfim, caro leitor, enfermo como eu, o jeito é amar para não sofrer. Amar para ser feliz. O amor é que cobre a multidão dos pecados, não o sofrimento.

Será que você quer se curar?

Você é ansioso?

"O futuro, fantasma de mãos vazias,
que tudo promete e nada tem."
Victor Hugo

Todos estão preocupados com o futuro. À beira do terceiro milênio, o futuro, que parece estar muito próximo, parece inquietar o ser humano. O que ocorrerá amanhã? Como serão os próximos anos? Haverá comida para todos? Seremos invadidos por seres espaciais? Haveremos de enfrentar a Terceira Guerra Mundial? No plano mais individual, estamos inquietos se amanhã teremos o que comer, se amanhã ainda teremos o emprego que hoje nos sustenta, e a incerteza sobre o futuro representa um tormento para muitos.

Mas essa preocupação não é de agora. O homem sempre esteve preocupado com o futuro, com o dia de amanhã. Mas será que essa atenção desfocada tem trazido algum proveito para o ser humano? Vamos tentar desvendar a questão!

Na atualidade, ninguém pode ignorar que a ansiedade é uma das características mais acentuadas do homem moderno. Somos bombardeados, a cada hora e minuto, por inúmeros estímulos vindos das mais variadas fontes. As preocupações acentuadas com o amanhã, com os negócios, com o rumo da economia, com a saúde dos familiares, com as contas a pagar, com o destino da política, com o final dos tempos – enfim, a lista é interminável – geram um estado permanente de tensão emocional.

Essa situação produz um fenômeno muito engraçado: nós queremos viver o hoje com a atenção voltada para o amanhã. Queremos trazer o futuro para hoje. Que confusão, que loucura, não é verdade?

Certamente, quem pretende viver o futuro pode se considerar um ansioso categorizado. Vive o ansioso um estado permanente de expectativa com o que pode lhe suceder no amanhã. Suas preocupações são marcadas por expectativas de situações que muito provavelmente nem venham a ocorrer. Todo ansioso é muito preocupado. E quem se preocupa se ocupa por antecipação (pré-ocupado).

Mas o leitor poderá estar questionando se a preocupação com o dia de amanhã não revelaria uma pessoa bem-intencionada, responsável.

Bem-intencionada, talvez. Mas nem sempre uma boa intenção conduz a uma boa atuação.

O indivíduo deve ter prudência com
o dia de amanhã, mas não deve
querer viver o dia de amanhã.

Por exemplo: se vou fazer uma viagem de automóvel, a prudência me recomenda que abasteça o carro com combustível suficiente para percorrer a distância necessária, que verifique o estado dos pneus, os equipamentos de segurança do veículo, o estepe, etc. Agora, o indivíduo preocupado desloca sua atenção para outras situações imprevisíveis, como, por exemplo:

"Será que o carro vai quebrar na estrada? E, quebrando o veículo, provavelmente poderei ser assaltado na rodovia."

Ou então está preocupado com algum grave acidente que poderá lhe ocorrer no trajeto, colocando um ponto final em suas férias tão sonhadas.

O ansioso vive com a mente povoada de possíveis tragédias e catástrofes. Talvez por isso o filme *Titanic* seja recorde de bilheteria. E a ansiedade não escolhe classe social. O rico teme perder sua fortuna. Qualquer oscilação da bolsa já lhe provoca pânico. O pobre, por sua vez, teme perder o emprego. Todos temem a ocorrência de uma situação que está no futuro e que poderá nem sequer ocorrer. O mais grave de tudo é que o pensamento é força criadora.

Então aquela preocupação incessante com
determinada situação temida poderá acabar
ocorrendo única e exclusivamente pelas
condições criadas pela nossa própria mente.

Consta que num determinado país havia um rei muito amado e respeitado pelos seus súditos. Mas, um dia, uma doença terrível estava prestes a atacar aquele país. O bondoso rei foi falar com a Doença e pediu que não visitasse o seu reino. A Doença disse que não poderia evitar a visita, porém, em respeito ao bondoso rei, mataria apenas cem pessoas. O rei ficou até um pouco aliviado, pois em outros países a doença exterminara milhares de pessoas.

Uma semana depois do ingresso da Doença no país, o rei pediu aos seus ministros um relatório do número de vítimas. E a constatação foi dolorosa: mais de 500 pessoas já haviam falecido. O rei ficou furioso, pois a Doença havia lhe prometido apenas cem mortes. Irado, foi o bondoso rei ter com ela para tomar satisfações. E, na presença da Doença, indagou-lhe o porquê das mais de 500 mortes. E a Doença, serena, disse que houvera cumprido o trato, que apenas tinha atacado cem pessoas.

"E as restantes?", indagou o rei.

A Doença informou que as vítimas restantes morreram única e exclusivamente de medo de serem atingidas pela enfermidade. Enfim, morreram de ansiedade.

Onde estaria a explicação para semelhante desajuste emocional causado pela ansiedade? Insegurança é a resposta. A criatura vive ansiosa porque é insegura e teme o desconhecido. Sim, porque o futuro ninguém domina; ninguém pode prever o que nos sucederá amanhã. Ninguém pode dizer o que vai nos ocorrer nos próximos 60 segundos. Por isso, amado leitor, devemos colocar a nossa segurança no dia de hoje. Querer viver o dia de amanhã é pura loucura. É neurose na certa.

O hoje é a única coisa concreta
que existe em nossa vida.
O amanhã é uma ilusão!

Portanto, numa análise fria, haveremos de constatar que a ansiedade não resolve problema algum. Ao contrário, agrava os problemas de nossa vida. O principal problema causado pela ansiedade é tirar o indivíduo do hoje, do agora. E a melhor maneira de ter um bom futuro é bem viver o presente. O amanhã é mera decorrência do que a criatura semeia no momento presente. Jamais alcançarei aquele emprego tão sonhado se hoje não sou capaz de valorizar o emprego que possuo. O novo jamais surgirá se as situações presentes ainda não estiverem bem resolvidas.

O agora é o momento mais importante de nossas vidas. Jesus, o maior dos psicólogos, recomendou-nos: "A cada dia basta a sua preocupação". No Sermão da Montanha, Jesus ainda volta ao assunto ao dizer-nos: "Não vos preocupeis com a vossa vida, quanto ao que haveis de comer, nem com o vosso corpo, quanto ao que haveis de vestir. Não é a vida mais do que o alimento e o corpo mais do que a roupa?"[1]

1 – Mateus, capítulo 6, versículo 25.

Vejo as pessoas numa busca frenética pelo dia de amanhã. Na televisão, a cada instante são anunciados serviços de informações sobre o futuro. Mas tudo seria tão simples se nós olhássemos o presente.

Quer saber o seu futuro? Então olhe o que você faz do seu presente. Não há mistério e você não gasta um centavo.

O amanhã é ilusório porque ainda não existe.

O hoje é real. É A REALIDADE NA QUAL VOCÊ PODE INTERFERIR.

O maior problema de tentar viver o futuro é não viver o presente. A sua força está no hoje, neste momento. As suas oportunidades estão no presente. Não espere o futuro mudar a sua vida, porque o futuro será a mera decorrência do que você fizer no presente. Inércia hoje, carência amanhã. Trabalho hoje, prosperidade amanhã.

Agora, querido leitor, será que você está vivendo o hoje? Será que você está aproveitando todas as oportunidades que a vida está lhe dando agora?

Responda afirmativamente e comece a viver!

Você está vivendo no passado?

"Remoer o passado ou colecionar temores sobre o futuro são desperdícios de energia mental, emocional e espiritual."

Brian Weiss[1]

No capítulo anterior, nós conversamos a respeito das pessoas, aliás a grande maioria de nós, que vive com a atenção colocada no futuro, gerando um estado de tensão emocional marcado por ansiedades e preocupações.

Neste capítulo, queremos partilhar com o querido leitor reflexões a respeito de um outro grupo de pessoas, bastante numeroso também, que, em vez de colocar sua

1 – Brian Weiss é médico psiquiatra de renome internacional, com vários títulos universitários, autor de livros consagrados como *Muitas vidas, muitos mestres* e *Só o amor é real*, que tratam basicamente da reencarnação e da Terapia de Vidas Passadas.

atenção no futuro, está focalizando a vida através das lentes do passado.

Usam com freqüência as seguintes frases, carregadas de lamentação e penúria:

"No meu tempo, as coisas eram diferentes..."

"Puxa, como era bom aquele meu emprego..."

"Não consigo esquecer aquela mulher..."

Acredito que todos nós, com menor ou maior intensidade, estamos vivendo de forma muito vinculada ao passado, aos fatos que nos ocorreram. Às vezes, ainda não conseguimos esquecer pequenas ofensas que permanecem guardadas em nossa mente há mais de 20, 30 ou 40 anos. E, já passado tanto tempo, hoje ainda sentimos aquelas palavras ofensivas com a mesma intensidade com que foram proferidas naquela distante ocasião.

E os amores perdidos?

Nossa, minha gente, quantos estão ainda presos a relacionamentos do passado. Vejo que muitos casais se separam porque alegam que não conseguem mais se entender. Dizem que as desavenças são tão grandes que a ruptura da vida em comum é o único caminho. Afirmam, com convicção, que a separação é o único remédio capaz de resolver o problema da incompatibilidade de gênios.

Pois bem, decretada a tão sonhada separação, cada um vai para o seu canto, porém a incompatibilidade persiste e as desavenças continuam. É muito comum que logo mais voltem ao fórum para novas demandas sobre

pensão alimentícia, guarda de filhos e partilha de bens. Então, a separação judicial não foi capaz de resolver aqueles males. Os corpos foram separados, mas os espíritos continuam ligados pelas mesmas energias negativas de outrora, pelos mesmos dissabores do passado.

Penso naqueles que não conseguem novos relacionamentos afetivos porque ainda estão presos a amores perdidos. Não se trata de mera saudade, mas de sentimentos totalmente atrelados ao passado. Parece que a pessoa recusa novos amores, não porque não os deseje, mas porque ainda vive o passado e daria tudo para que ele se tornasse presente.

Sem falar ainda daqueles irmãos que ainda estão presos a enormes sentimentos de culpa pelos erros cometidos no passado. Vivem angustiados, abatidos e geralmente cheios de doenças. Não conseguem entender que nossas atuações do passado eram compatíveis com o grau de entendimento que naquele momento possuíamos. Hoje temos mais consciência sobre determinados assuntos, mas no passado nossa ignorância ainda era maior.

Errar faz parte da trajetória evolutiva do ser humano.

Somente alguém muito presunçoso poderia achar que nunca errou ou que nunca vai errar. Bom, então é exercitar o autoperdão!

Veja que Deus projetou a nossa caminhada evolutiva por meio das inúmeras vidas, exatamente porque sabia que nós poderíamos errar, falhar. Deus conhece muito bem a nossa fragilidade. Aliás, penso que os nossos desvios derivam de uma falsa percepção da realidade. Quanto maior for o nosso conhecimento, maior também será a nossa capacidade de perceber diferenças e, conseqüentemente, de fazer opções mais acertadas.

O Cristo, no auge do martírio da cruz, disse talvez uma de suas mais importantes frases:

"Pai, perdoa-lhes porque não sabem o que fazem."[2]

Com tal afirmação, Jesus quis dizer que todo mal procede da nossa ignorância. Assim, devemos ver que os erros do passado foram praticados de acordo com a capacidade de entendimento que naquele momento possuíamos. Logo, não adianta a lamentação quanto aos erros de outrora. O que foi feito está feito. Não dá para voltar ao passado e impedir que aquela conduta não seja mais praticada. Impossível. Mas poderemos remediar os erros cometidos. Primeiro, entendendo o motivo do nosso agir, indagando-nos:

"Por que, naquela situação, me comportei daquela maneira?"

É muito importante investigar a causa de nossas condutas, a fim de não cometermos novamente o mesmo erro. Depois de assimilada a lição, devemos procurar minimizar os efeitos da conduta faltosa. Sempre haverá uma forma de reparar os nossos erros. Por vezes, só o

2 – Lucas, capítulo 23, versículos 33 e 34.

fato de pedirmos perdão para a pessoa ofendida já será o suficiente para o restabelecimento da harmonia. Em outras vezes, haveremos de adicionar um gesto mais concreto para corrigir as faltas. Por exemplo: se levantei uma calúnia contra um conhecido, não basta o arrependimento. Por que também não assumir publicamente a nossa falta, dizendo a verdade àqueles que tiveram conhecimento da nossa mentira? Ficaremos em paz com a nossa consciência e devolveremos a paz ao caluniado. Pronto, erro reparado.

Certa feita, uma distinta senhora confidenciou-me que carregava um sentimento de culpa muito grande. Disse-me que aos 17 anos havia cometido um aborto. O namorado de então, com promessas de casamento, conseguiu antecipar o relacionamento sexual. Mas, depois de saber que ela engravidara, rompeu o compromisso e sumiu do mapa. Temendo o preconceito familiar e social, mesmo porque provinha de uma família muito rica, ela acabou cometendo o aborto. Livrou-se da criança, mas ficou com a consciência culpada pelo resto da vida. Nunca mais conseguiu um minuto de felicidade, pois se sentia culpada e achava que seu erro era imperdoável. De tanta culpa, nunca mais teve outro relacionamento afetivo. Ela quis saber a minha opinião e eu lhe disse que não a condenava, mas achava que aquele fato poderia ser reparado. Falei-lhe que fosse fazer uma visita a um orfanato que eu conhecia. Dei-lhe o endereço e pedi que fosse o quanto antes, pois ali poderia encontrar o remédio para as suas dores. E ela foi. Cinco meses depois, aquela senhora de quase 60 anos telefonou-me e disse:

"Eu acho que encontrei o remédio que você me disse. Em cada uma das crianças do orfanato deparei com o filho que no passado não pude ter. Cuidando dos pequenos, sentia que estava cuidando do meu próprio filho. Amparando aquelas crianças que nunca tiveram o amor de pai ou de mãe, tornei-me mãe delas e, pouco a pouco, fui sentindo menos remorso pelo aborto. Dou a elas o carinho que não pude dar ao meu filho. As crianças me devolveram a paz, elas me chamam de mãe, à exceção de um menino arredio, o Pedrinho, que, por vezes, chega a me agredir fisicamente quando dele me aproximo. Tenho uma atração especial por ele, mas não consigo cativá-lo. Mas estou bem melhor, passei a freqüentar um Centro Espírita e estou encontrando muito apoio nos livros espíritas."

Incentivei-a a persistir no trabalho, que no fundo era um verdadeiro tratamento, pois, se conseguisse amar verdadeiramente aquelas crianças, principalmente o Pedrinho, teria condições de resolver seu conflito interior. Dois anos se passaram, e ela um dia me ligou, dizendo, em prantos:

"Hoje é o dia mais feliz da minha vida. O trabalho no orfanato foi a melhor coisa que poderia ter me acontecido. Sinto-me em paz com a consciência, porque considero as crianças como filhas do meu coração. Eu era uma pessoa triste e solitária, mas agora tenho uma família. Troquei a solidão pela solidariedade. Tive muitas dificuldades com o Pedrinho, lembra dele? O carinho que tinha por ele era diferente do das outras crianças e, quanto mais me desdobrava em atenção para com ele, menos conseguia cativá-lo. Busquei orientação no Centro Espírita e fui informada de que deveria ter paciência e procurar amar aquela criança com todas as forças da minha vida. E foi assim que fiz. Redobrei minha atenção e cuidados com o Pedrinho até que, no último Dia das Mães, numa festinha lá no orfanato, ele me abraçou como nunca tinha feito. À noite, na sessão espírita, surpreendentemente minha querida avó já desencarnada se manifestou por um médium e disse que naquele dia eu havia recebido um abraço do filho que abortara."

Veja, amigo, que ela se libertou da culpa quando, esquecendo o passado, renovou-se pela caridade que estendeu aos outros. O trabalho de auxílio ao próximo foi o remédio capaz de curar o seu remorso. No cuidado com os pequenos, ela se trabalhava interiormente, deixando fluir o sentimento materno que no passado havia podado. Ela estava se auto-realizando na ajuda que prestava às crianças carentes. Por isso é que todo trabalho de auxílio ao próximo é, antes de tudo, um trabalho de auxílio a si próprio.

O passado então nos serve para melhorar o presente,
na medida em que, aprendendo com os erros de ontem,
renovo as condutas de hoje para que o amanhã
seja melhor. Que beleza, não é?

Viver no passado é perda de tempo! Meu amigo, o passado já foi, não volta mais. Quando nós estamos vivendo no passado, o presente não consegue fluir. Quem vive no passado não consegue enxergar o presente. É no hoje que se encontram todas as nossas possibilidades de felicidade.

O passado você não consegue mudar, mas o presente é o momento que Deus lhe concede para renovar as suas atitudes e descobrir todo o seu potencial.

Olhe para o hoje! Veja quantas oportunidades estão à sua espera. Se você acha que perdeu aquele bom emprego por algum deslize de sua parte, não importa, arranje outro! Se você foi capaz de no passado ter aquele grande trabalho, hoje mais do que nunca poderá obter outro. Perdoe-se e renove-se, que um novo trabalho surgirá. Largue o passado para o passado largar você.

Se você perdeu um grande amor, encontre outro. Impossível que em meio a seis bilhões de pessoas no mundo você não encontre uma outra pessoa para amar e ser amado.

Se você cometeu algum erro, perdoe-se e repare a sua falta. Se prejudicou alguém, peça perdão e, sendo possível, repare a sua falta. Não deixe de entender a lição que o erro lhe trouxe, renovando o seu comportamento.

Não seja hoje a mesma pessoa que você foi no passado.

Renove-se, para melhor. Essa é a lei da evolução.

Se alguém o feriu, esqueça a ofensa. Exercite o perdão. O problema é de quem o ofendeu. O perdão é sempre melhor para quem perdoa.

Enfim, meu amigo, ficar preso ao passado não dá futuro.

Hoje é o melhor tempo que existe.

Liberte-se e comece a viver o agora.

Quem é seu anjo da guarda?

"Cada anjo da guarda tem o seu protegido pelo qual vela, como o pai pelo filho. Alegra-se, quando o vê no bom caminho; sofre, quando ele lhe despreza os conselhos."

O Livro dos Espíritos[1]

Os anjos são assunto da moda. Parece que a humanidade redescobriu a importância deles. Os chamados seres angélicos são temas de livros, filmes, palestras, documentários, revistas, etc. Quem sabe o assunto tem despertado grande interesse porque o homem está carente de Deus, está com fome de espiritualidade? Apesar de todas as conquistas tecnológicas, de todos os avanços da ciência, de todo o conforto que o progresso trouxe, o homem ainda não se encontrou. O homem já foi capaz

1 – *O Livro dos Espíritos*, questão nº 495.

de fazer grandes viagens, já foi à Lua, já chegou a Marte, percorrendo distâncias incalculáveis. Mas ainda não foi capaz de fazer a viagem para dentro de si. Ainda não percorreu a pequena distância que existe entre o cérebro e o coração.

O homem racional quis apartar-se de Deus, porque a religião de outrora acabou sendo desmentida pela ciência. Mas o avanço científico também não lhe trouxe felicidade. Por vezes, até aumentou a carga de sofrimentos. Então, volta-se a pensar em Deus e os anjos ressurgem no cenário angustiante deste final de século. E a procura é bem justa, porque os anjos sempre foram tidos como os emissários celestes. Anjo é porta-voz de Deus; é Seu legítimo representante.

Na verdade, porque Deus não é adepto da solidão, Ele procura sempre partilhar com suas criaturas os Seus planos e o Seu governo do universo. E assim o faz por meio das almas que estão harmonizadas com os propósitos divinos. Seria um sistema de co-participação: nós com Deus, Ele conosco. Os anjos, portanto, são almas devotadas que se interessam pela nossa felicidade, cooperando com Deus no governo do universo. Os anjos não estão no céu comendo, bebendo e dormindo, como muitos imaginam. Não estão num parque de diversões ou tocando flauta, deitados em nuvens de algodão. Ao contrário, estão sempre trabalhando, uma vez que desejam a nossa angelitude. Querem a nossa alegria, o nosso progresso espiritual e sabem das nossas dificuldades, porque também passaram pelos mesmos degraus em que hoje tropeçamos. Vejam quanta solidariedade. O anjo da guarda não é um ser que já foi criado por Deus em estado de perfeição. Ele é um espírito como nós, que já passou pelas mesmas vicissitudes e conseguiu superá-las. Por isso é que eles estão ao nosso lado, exatamente para nos ajudar a transpor os nossos obstáculos, dando prova de que a perseverança no bem é o nosso melhor investimento.

Não são apenas as crianças que são amparadas pelos anjos da guarda. Nós, os adultos, com maior razão, também temos o nosso anjo, o nosso mentor individual.

Mas quem seria esse anjo?

Pouco importa. Basta saber que ele é um devotado amigo, a quem sempre poderemos recorrer nos momentos de tristeza e dificuldades. Haveremos de ser consolados, pois ele é um verdadeiro amigo.

E qual seria o seu nome?

Também não tem importância. João, José, Gabriel, Maria ou Carolina. Os anjos não estão preocupados com os rótulos. Eles simplesmente querem ajudar e o fazem quando queremos ser auxiliados.

Mas qual seria o melhor dia e horário para contatar o meu anjo da guarda?

Não há dia nem horário, pois almas enobrecidas já se libertaram dos calendários terrenos. Sempre que tiver real necessidade, converse com seu anjo, seja uma segunda-feira chuvosa, seja um domingo de sol.

Eu tenho a certeza de que seu amigo invisível haverá de lhe estender a mão, como já fez em outras tantas oportunidades em sua vida e talvez você nem sequer tenha notado.

Agora que você já foi apresentado ao seu amigo, que tal começar uma bela amizade?

Como Deus é bom, não acha?

Você é otimista?

"As coisas não mudam; nós é que mudamos."
Thoreau

Muitos dizem que os otimistas são pessoas em extinção. Que o otimista é um ser alienado, que não vê a triste e dura realidade à sua volta. Afirmam que é impossível ser otimista com todo esse desemprego, com gente passando fome, com a falência das instituições políticas, com guerras entre os povos, com testes nucleares e armas químicas, além do surgimento constante de novas doenças de cura improvável, etc.

Dá a impressão de que o cenário deste final de século não é muito animador. Porém, todos os fatos acima narrados estão na ordem natural das coisas. Não há um desgoverno cósmico. Tudo está na mais perfeita ordem, ainda que a desarmonia se afigure à nossa limitada visão. Deus, o Supremo Criador, está no leme dos destinos planetários, tendo Jesus como o supremo condutor e dirigente máximo do nosso planeta Terra. A humanidade já experimentou duas grandes guerras mundiais e, apesar de todas as previsões pessimistas, o planeta continuou a sua marcha e o progresso não foi estancado.

Veja o interessante exemplo do Japão. Aquele país situa-se em zona de freqüentes furacões, sendo exposto, também com freqüência, a terremotos e vulcões. Tem poucas terras de cultivo. Durante a Segunda Guerra Mundial, sofreu o flagelo de duas bombas atômicas, atingindo as cidades de Hiroshima e Nagasaki. Só na primeira, a bomba fez mais de 150 mil vítimas, com cerca de 80 mil mortos. Dezenas de milhares de vítimas também em Nagasaki. Nada obstante a tragédia, 20 anos depois, o país já estava reconstruído e começava a desenvolver-se como potência econômica. Construiu a maior indústria de pesca do mundo, além de ser um dos mais competitivos fabricantes e exportadores mundiais de carros e produtos eletrônicos. É considerado uma das maiores potências econômicas do mundo. Enfim, tudo na história daquele país representava adversidade. Qualquer pessimista não traçaria o elevado grau de destaque que hoje aquele país ocupa no cenário mundial. No momento em que este livro estava sendo escrito, o Japão voltou a sofrer novas dificuldades em sua economia, mas, se o povo japonês mantiver o mesmo otimismo e determinação do passado, certamente a crise haverá de passar.

A postura otimista ou pessimista nada mais representa do que uma forma de ver a vida. O pessimista acha que tudo está péssimo, que tudo vai mal. Você diz: "Que belo dia!" E ele responde: "É, mas pode chover".

O pessimista vê tudo pelo lado negativo das coisas. Ele sempre espera pelo pior. Não acredita no bem, acha que pessoas boas não existem, que não há gente honesta, que todo mundo quer enganá-lo, que o mundo está perdido, que sua doença é incurável, ainda que seja uma simples gripe, que a inflação não vai baixar, que o inverno é péssimo, mas também não aprecia o verão nem a primavera. Enfim, nada está bom para ele.

Será que você conhece alguém assim? Eu conheço várias pessoas. Ao tomar contato com uma nova idéia, com um novo projeto, o sujeito pessimista vai logo dizendo: "Isso não vai dar certo".

Se você disser que está com gripe, cuidado, porque certamente ele lhe dirá que pode virar uma pneumonia ou mesmo um câncer. Não se impressione.

Quando o pessimista depara com alguma dificuldade na vida, vai logo dizendo que não vai conseguir superá-la, que o problema é muito difícil e que nada vai dar certo. É que o pessimista maximiza o problema e minimiza a sua capacidade de resolução dos desafios. Aí não tem jeito de ser feliz. Sabe por quê?

Com a cabeça cheia de problemas, de limitações, de dúvidas, vendo só o lado ruim das coisas e das pessoas, é impossível que o pessimista possa atrair algo de bom para a sua vida.

É a lei de atração. Se a sua mente está sintonizada com tudo aquilo de ruim que passa na cabeça de um pessimista, o que você acha que vai atrair para a sua vida? Coisas boas é que não vão aparecer para você. E depois não vá dizer que lhe fizeram algum trabalhinho de magia negra ou que pessoas muito invejosas querem destruir a sua vida.

Em regra, um pessimista sempre atrairá para si pessoas também pessimistas, derrotadas e desanimadas. E se ele cruzar com algum otimista é capaz de nem notá-lo. Sem falar ainda de suas companhias espirituais, que se acham na mesma faixa vibratória negativa. Nossa, quanta perturbação, não acha?

Mas eu não quero ser pessimista com os pessimistas. É uma opção de vida e devemos respeitá-los. Prefiro ver as coisas com outras lentes. Os óculos do pessimista não me interessam, porque não me trazem felicidade. Você conhece algum pessimista feliz? Eu não conheço. Os que conheci estão todos com muitos problemas, sim, porque o pessimista só vê problemas na vida. E, além do mais, vira e mexe estão sempre doentes. Por que será?

Interesso-me pelos otimistas, aqueles que enxergam a vida com os olhos do bem, do amor e da esperança. Ser otimista é uma atitude de vida, é um estado de espírito. Não quer dizer que a pessoa otimista ignore a realidade, muito pelo contrário. Ela vê os fatos como são, mas interpreta-os de uma forma positiva. A questão é saber interpretar os fatos. Diante de um desafio, o pessimista vê um problema quase insolúvel. Já o otimista enxerga uma oportunidade de crescimento.

O otimista aprende com o erro; o pessimista sofre com ele.

Consta que o famoso cientista Thomas Edison[1], inventor da lâmpada elétrica, teria feito mais de cem tentativas para chegar ao sucesso de sua descoberta. Em cada experiência sem êxito, ele nunca falava em fracasso, mas dizia que havia aprendido mais uma maneira de não chegar ao invento da lâmpada elétrica. A cada nova tentativa, era indagado por seus amigos, certamente os pessimistas, se ele ainda persistiria na busca daquela invenção e o grande inventor respondia:

"Não me desencorajo, porque cada tentativa errada descartada é outro passo à frente."

E graças ao otimismo dele, a humanidade pode hoje desfrutar dos grandes benefícios da lâmpada elétrica. Já pensou se Edison fosse um pessimista? Teríamos ficado no escuro por muito tempo.

Meditemos sobre a tenacidade do grande Albert Sabin, o cientista descobridor da vacina contra a poliomielite, a quem o mundo deve inteiro reconhecimento.

1 – Thomas Alva Edison (1847-1931), o mais famoso e versátil dos inventores norte-americanos. Após receber uma educação rudimentar, tornou-se telegrafista e mais tarde inventou a máquina perfuradora de fita para transmitir as cotações da bolsa de valores. Suas outras invenções foram o microfone de membrana de carbono para o receptor do telefone, o gramofone e a lâmpada incandescente (*Enciclopédia Folha de S.Paulo*, vol. 1).

O dr. Sabin começou a estudar a poliomielite em 1931 e somente em 1954 testou, em si mesmo, a primeira vacina contra aquela enfermidade. Somente em 1960 a vacina foi aprovada pelos Estados Unidos, ou seja, quase 30 anos depois. Veja que otimismo. Se o dr. Sabin fosse um pessimista, aquela triste enfermidade ainda estaria vitimando milhares de pessoas em todo o mundo.

Se Chico Xavier fosse um pessimista, não teria psicografado cerca de 400 livros, tendo contato com aproximadamente dois mil autores espirituais. Estima-se que seus livros já alcançaram a marca de 20 milhões de exemplares. Se não fosse um otimista, ao receber a primeira crítica, e críticas não lhe faltaram, já teria desistido de sua grandiosa tarefa.

Se Divaldo Pereira Franco também não fosse um otimista, não teria pregado a Doutrina Espírita em mais de 54 países, realizando cerca de mil palestras só no exterior e cinco discursos na Organização das Nações Unidas. É currículo de otimista.

Se José Gonçalves Pereira fosse um pessimista, a Casa Transitória Fabiano de Cristo, em São Paulo, uma das maiores instituições de assistência social do país, seria apenas um belo projeto no papel. Quando a Federação Espírita do Estado de São Paulo recebeu em comodato[2], do Governo do Estado de São Paulo, o terreno

2 – Comodato: empréstimo gratuito.

para a construção da futura Casa Transitória, o próprio engenheiro responsável pela obra desistiu do intento, porque o local destinado era um charco só. Graças ao otimismo do sr. Gonçalves, hoje a Casa Transitória é constituída de 38 pavilhões, cooperando com mais de quatro mil famílias necessitadas.

Se Jô Clemente fosse pessimista, não teria sido uma das grandes trabalhadoras da APAE – Associação dos Pais e Amigos dos Excepcionais –, a maior entidade filantrópica do gênero na América Latina, atendendo hoje cerca de 1400 deficientes mentais só na cidade de São Paulo[3]. Interessante é observar que Jô Clemente é mãe de um rapaz com síndrome de Down, mas foi a partir do seu nascimento que resolveu ajudar a criar a APAE. Esse filho, que para muitos pais seria um problema insolúvel, transformou-se em solução para várias pessoas que passaram e passam por essa experiência. Ela é otimista. Já pensou se não fosse?

Ser otimista é enxergar a vida além das dificuldades.
É saber ver o horizonte mais além, é sentir o
amanhecer em plena madrugada.

3 – Jô Clemente criou a conhecida Feira da Bondade, evento destinado à arrecadação de fundos para os trabalhos da APAE. A feira vem sendo realizada desde 1966, ininterruptamente, atraindo milhares de pessoas. Hoje o trabalho da APAE está presente em quase todas as cidades do Brasil. Recentemente, a APAE de São Carlos, cidade do interior de São Paulo, recebeu o Prêmio Bem Eficiente pelo seu trabalho de alfabetização e profissionalização de pessoas portadoras de deficiência mental (Revista *Veja*, Editora Abril, maio de 1997, e *O Estado de S. Paulo*, 17.10.1998).

Perante as dificuldades, o otimista sabe que tudo sempre acabará bem, por piores que sejam as tempestades. É uma questão de tempo, de paciência, de ritmo e, sobretudo, de muito trabalho.

Aqui está outra diferença entre o comportamento pessimista e o otimista. Em regra, o pessimismo leva ao imobilismo, já que para o pessimista tudo sempre acabará mal, razão pela qual ele não vê qualquer motivo para tentar modificar as coisas. Já o otimista é homem de ação, de movimento, porque sabe que é no trabalho que a solução vai surgir. Só o trabalho movimenta energias capazes de superar os obstáculos. A inércia e o desânimo só enferrujam o ser humano.

Consta que dois sapos caíram num latão de leite muito alto. No interior daquele recipiente havia um pouco de leite e os sapos estavam separados por uma divisória interna. Os dois pulavam e pulavam, mas a boca do latão era mais alta do que podiam alcançar com os saltos. Um dos sapos disse que nada mais era possível fazer, que o fim deles era passar o resto da vida naquele latão, e ficou reclamando por muito tempo. O outro sapo ficou inconformado com aquela situação e não se cansava de pular. Pulava e pulava, batia-se naquele leite sem cessar, pois achava que haveria uma saída para aquela situação, pois, afinal de contas, Deus não criou sapos para que vivessem em vasilhas de leite. E de tanto pular e se bater aquele leite acabou virando uma manteiga cremosa, permitindo assim que o sapo ficasse mais próximo da boca do vasilhame e conseguisse saltar para fora.

O sapo que reconquistou a liberdade era um otimista. O outro você já sabe como era, bem como o final que ele teve. Daí por que é maravilhoso poder lidar com pessoas otimistas. Elas apresentam uma energia positiva, sempre estão sorrindo e acreditam nos seus sonhos e projetos. Aliás, o otimista tende a ter boa saúde. Recente pesquisa feita nos Estados Unidos concluiu que o otimismo pode fortalecer o sistema imunológico ou, pelo menos, reduzir os efeitos do estresse[4]. E se o otimismo fortalece o sistema imunológico, que efeitos o pessimismo provocará?

Certa feita, perguntaram a um senhor de 90 anos, lúcido e com o vigor físico de um homem de 50, qual era o segredo para tamanha façanha. E ele respondeu: "Quando acordo pela manhã, tenho duas opções a escolher: ser feliz ou ser infeliz. Eu escolho a primeira".

E você, leitor amigo, que opção tem feito em sua vida? Ainda está no rol dos pessimistas? Se estiver, mude logo de time e venha ser feliz. Talvez os seus problemas não desapareçam, mas certamente você terá outro ânimo para resolvê-los. Você estará de bem com a vida e ela, com certeza, estará de bem com você. Por que não tenta?

4 – Jornal *O Estado de S. Paulo*, edição de 06.06.1998.

Você quer segurança?

"O criminoso, no momento em que pratica o seu crime, é sempre um doente."
Dostoievski

Uma das queixas mais constantes das pessoas na atualidade diz respeito à questão da segurança pública. A sociedade vive atemorizada com uma crescente criminalidade. Muitos querem o endurecimento das leis penais e um tratamento mais severo aos condenados pela Justiça. Outros até pedem a aplicação da pena de morte como forma capaz de conter a criminalidade. E você, o que pensa a respeito?

De qualquer maneira, todos querem mais segurança. Todos nós estamos inseguros.

Mas quais seriam as medidas mais adequadas à solução desse problema tão grave? Muitos não têm dúvida de que a adoção de leis penais mais severas possa influir na diminuição da criminalidade. Também não se descarta a possibilidade de que um contingente maior de policiais equipados e treinados possa evitar a ocorrência de muitos crimes.

Mas será que um problema tão sério como esse seria resolvido apenas com o aumento da repressão penal?

Penso que não. Mesmo nos países que adotaram a pena de morte, não houve sensível diferença nos índices de criminalidade. Ao revés, segundo dados do jornal *Folha de S.Paulo*, o número de execuções por pena de morte nos Estados Unidos bateu recorde em 1995, atingindo um total de 56. Desde 1976, quando a pena de morte foi reimplantada no país, o maior número de execuções em um ano havia sido 38[1]. Ora, se o número de execuções aumentou, é sinal de que a função intimidativa da pena de morte não foi tão eficaz quanto propagam os seus defensores.

E para o espiritualista, a pena de morte representa uma grande farsa, pois sabemos que a morte apenas aniquila o corpo, remanescendo o espírito como ente imortal. Então o criminoso que teve o corpo sacrificado com a pena de morte continua vivo no plano extrafísico, mais agressivo do que nunca e certamente desencadeando muitas obsessões criminosas. Espanta-me ver espíritas defendendo a adoção da pena de morte.

---

1 – Jornal *Folha de S.Paulo*, edição de 24.12.1995.

Na verdade, nenhuma política criminal terá sucesso se não levar em consideração o ser humano. O criminoso é um doente da sociedade e como tal deve ser tratado, não exterminado. O doente necessita de remédio, de tratamento, de cuidados, não de mais violência. Por vezes, aquele doente precisa ser isolado por longo período, porém sempre com a perspectiva de alguém que deverá ser tratado. Em *O Evangelho Segundo o Espiritismo*, recomendam os espíritos superiores caridade para com os criminosos[2].

Assim, não basta o aumento da repressão penal. Antes, é preciso investir no ser humano, curando-lhe as enfermidades morais. E só a terapia do amor é capaz de curar as chagas do homem ainda marcado por traços de violência. O amor é o único antídoto capaz de sanar a delinqüência moral do ser humano. O doente necessita de remédio, não de alguém que lhe agrave as feridas; quem está prestes a cair num precipício precisa de alguém que lhe estenda a mão, não de alguém para empurrá-lo definitivamente. O criminoso não deixa de ser um doente social, alguém que precisa ser cuidado. Isso é o amor, expresso em forma de caridade para com os criminosos.

Penso que a verdadeira segurança pública somente será alcançada quando a sociedade encarar que o problema não é apenas do governo. É de todos nós. O Estado somos nós, a sociedade somos nós, então devemos

2 – Capítulo 11, item 14.

assumir o comando desse problema que aflige não só o governo, mas a cada um de nós. Não é verdade?

E a resolução passa por duas frentes de trabalho. A primeira diz respeito ao tratamento que devemos dar àqueles que já delinqüiram e que se acham cumprindo penas. Devem, sem dúvida, cumprir a pena imposta pela Justiça. Mas devem cumpri-la em condições dignas de um ser humano. Muitos dos nossos presos hoje se acham enjaulados, vivendo amontoados em cubículos de precárias condições de higiene e segurança. Na hora de dormir, revezam-se, porque não há lugar para todos. Muitos passam o dia todo na ociosidade, principalmente aqueles que se acham nas delegacias de polícia. Ora, não precisa ser sábio para concluir que eles sairão da cadeia mais agressivos do que quando lá entraram. Qual foi o tratamento dispensado ao preso visando a sua recuperação? Quase nenhum. É por isso que o índice de reincidência no sistema penitenciário brasileiro gira em torno de 85%[3].

E muitos dirão que os presos merecem mesmo o sofrimento, o trabalho escravo, a comida estragada, etc. Só que essas pessoas se esquecem de que eles um dia voltarão ao convívio social, mais doentes e desequilibrados e certamente retornando ao mundo do crime.

3 – Dados apresentados pelo dr. Luiz Flávio Borges D'Urso, presidente do Conselho Estadual de Política Criminal e Penitenciária do Estado de São Paulo (*Notícias Forenses*, outubro de 1998).

Certa feita, um juiz de uma cidade do interior de São Paulo recebeu solicitação de audiência com lideranças comunitárias preocupadas com a crescente criminalidade naquela pacata cidade. O pedido foi atendido. Na reunião, os representantes daquela comunidade solicitaram ao magistrado maior rigor na aplicação da pena, a fim de que os criminosos ficassem o maior tempo possível na cadeia. O juiz respondeu-lhes que a aplicação da pena encontrava parâmetros na legislação e que ele não poderia aplicar sanções arbitrárias. Porém, como sugestão para a resolução do problema o sábio magistrado propôs que a comunidade procurasse ver o criminoso como um irmão necessitado de ajuda e não de vingança. Propôs que visitassem os presos da cadeia pública, que providenciassem cobertores e colchões para o próximo período de inverno, já que muitos deles dormiam diretamente no chão. Sugeriu que levassem palavras de conforto, de esperança e esclarecimento. Que fossem os presos alfabetizados, pois muitos nem sequer desenhavam o próprio nome. E que depois disso houvesse um trabalho de preparo para a volta do preso ao convívio social. A sugestão do juiz não foi aceita. Achavam que o problema era do Estado e que o Poder Judiciário devia aplicar penas mais severas. Nada foi feito e muitos daqueles irmãos certamente já cumpriram as suas penas e voltaram ao convívio social. Será que eles voltaram arrependidos ou estavam ainda mais animalizados com o cruel estágio na prisão? Será que encontraram alguma oportunidade de trabalho?

A outra frente de trabalho deve atuar na prevenção do comportamento criminoso, ou seja, empregar esforços para que as dificuldades sociais não favoreçam o aparecimento da personalidade delinqüente. E aí o trabalho também é gigantesco e não podemos esperar que o Estado consiga resolver tudo. A fome, a miséria social, a falta de escola, de saúde e a desagregação familiar são condições que favorecem o aparecimento de uma personalidade criminosa. O indivíduo que já ostenta alguma tendência para o crime certamente estará em solo fértil se transitar pelas dificuldades geradas por uma sociedade ainda muito pouco fraterna. Todos nós assistimos estarrecidos à quantidade de crianças abandonadas nas ruas, sem família, sem lar, sem escola e sem ter o que comer. O que será delas? Prováveis criminosos. Hoje elas nos pedem um prato de comida; amanhã, com armas em punho, nos roubarão aquilo que a sociedade egoísta lhes negou. É pura matemática.

Meu amigo leitor, olhe para a sua casa agora e veja se não tem algo que lhe está sobrando e que poderia muito bem ser destinado àqueles famintos do caminho que dariam tudo para estar no seu lugar. Não adianta travar as portas do carro, colocar vidros blindados e alarmes sofisticados, pois, quanto maior for a nossa indiferença para com os excluídos, maior será o grito deles para conosco.

Quantas roupas temos guardadas e quantos desnudos se acham pelas ruas. Quantos pares de sapatos temos sobrando e quantos pés descalços caminham pelas ruas. Quanta comida jogamos na lata do lixo e quantas crianças morrendo de fome. São os paradoxos do egoísmo. E quanto maior for o nosso egoísmo, maior será a nossa infelicidade.

Então, querido amigo, se queremos mais segurança pública, teremos que tornar pública a nossa ação comunitária, quer amparando aqueles que já delinqüiram, para que não voltem ao mundo do crime, quer ajudando a não formar novos criminosos. Não espere pelo governo. Ele pode fazer muito pouco se a sociedade não assumir o seu papel[4]. Seja você um voluntário no serviço social. A princípio, não pense em realizar grandes projetos, como

---

4 – Um dos maiores estudiosos da questão penitenciária foi o professor Manoel Pedro Pimentel, catedrático da Universidade de São Paulo. Ele ressaltou a importância de a comunidade modificar sua visão sobre o preso, dizendo que: "Trata-se da necessidade de modificação da atitude da sociedade frente ao preso e da atitude do preso frente à sociedade. Estas atitudes jamais se modificarão se a sociedade não ficar conhecendo melhor o preso e este conhecendo melhor a sociedade. Não devemos esperar que o sentenciado seja o primeiro a estender a mão, por óbvias razões. O primeiro passo deve ser dado pela sociedade. Na medida em que esta se interessar pelo problema do preso, passará a conhecê-lo melhor e poderá compreender o drama que existe em cada delinqüente. Ajudando-o, efetivamente, a recuperar-se, a comunidade poderá acreditar mais nele. Conseguindo emprego para o detento, auxiliando-o a reencontrar-se socialmente, promovendo-o como homem, a sociedade estará estendendo-lhe a mão que, certamente, não será recusada. Então, o preso também se modificará em relação à comunidade, que passará a conhecer melhor. Recuperado, voltará a ser útil e presente, não mais delinqüindo" (*Prisões fechadas, prisões abertas*, Ed. Cortez & Moraes).

construir um asilo ou uma creche. Comece por aquilo que já existe, pois toda instituição séria está necessitando de ajuda. Comece pelas pequenas coisas, pelos pequenos gestos. Discuta essa idéia na comunidade, no seu grupo social, seja na igreja que freqüenta, no Centro Espírita, nos clubes de serviço, lojas maçônicas, etc.

E só assim haveremos de ter uma sociedade segura, retribuindo a violência com o amor tão recomendado por Jesus. Se ainda vivemos inseguros é porque estamos distantes da segurança que só o amor fraternal é capaz de proporcionar aos homens.

Que tal sairmos da nossa prisão interior?

Você é prazeroso?

"Você verá que a emoção começa agora.
Agora é brincar de viver. Não esquecer, ninguém
é o centro do universo, assim é maior o prazer."

Guilherme Arantes[1]

Segundo o dicionário *Aurélio*, prazeroso é algo cheio de prazer, jovial, alegre. Vamos dizer que a pergunta é para saber se você vive no prazer.

Acho que a humanidade vive toda buscando o prazer, porém cada um a seu modo. Se perguntarmos a cem pessoas diferentes que prazer estão buscando na vida, certamente teremos as mais diversas respostas. Um jogador de futebol, por exemplo, dirá que procura o prazer no ato de marcar um gol. Se ele for goleiro, dirá, porém,

1 – Guilherme Arantes, cantor, é também o compositor dessa música belíssima chamada *Brincar de viver*, interpretada por Maria Bethânia. Há um outro trecho da mesma música que diz: "E eu desejo amar todos que eu cruzar pelo meu caminho. Como sou feliz, eu quero ver feliz quem andar comigo, vem..."

que seu prazer é impedir que a bola chegue às redes. Em ambos, o prazer está no jogo, na competição.

Um religioso dirá que tem prazer em servir a Deus. Um médico afirmará que tem prazer em curar o enfermo. O alcoólatra certamente comentará que precisa da bebida para ter um pouco de prazer na vida; outros só encontram prazer numa mesa farta. Muitos, ainda, só topam com o prazer no trabalho, muito trabalho. Já para tantos outros, ter prazer é ter uma casa na praia, ter um iate. Outros tantos acreditam que o prazer da vida está no sexo livre. Enfim, cada um, a seu modo, busca alguma forma de prazer. E o que é prazer para uns pode ser desprazer para outros. Um roqueiro convicto dificilmente encontrará prazer em ouvir mantras indianos.

Afinal de contas, onde então estaria o prazer? Difícil seria estabelecer um padrão de prazer, porque as pessoas são diferentes entre si, cada uma está numa faixa evolutiva diversa, com gostos e tendências diferentes.

Interessante é também notar que o prazer de hoje poderá ser o desprazer de amanhã.

Quem se entrega ao prazer do cigarro, amanhã poderá experimentar o desprazer de um grave problema pulmonar. Quem se dedica ao prazer do sexo irresponsável, amanhã poderá provar doenças desastrosas. A sabedoria popular já sentenciou: alguns segundos de prazer podem se transformar em anos de sofrimento.

O problema surge quando nós colocamos a busca do prazer na satisfação dos nossos mais baixos instintos. Veja o que ocorre nas festas de Carnaval: muitas pessoas utilizam os quatro dias de folia para, tentando esquecer a própria falta de prazer na vida, buscar alguma sensação de prazer no excesso de bebida alcoólica, no uso de drogas, no sexo desmedido, etc. E o balanço depois apresenta saldo negativo: saúde comprometida, casamentos desfeitos, lares desajustados, renda comprometida, gravidez indesejada, sem falar nas inúmeras mortes que ocorrem em razão de acidentes provocados pelo uso de bebidas alcoólicas e outras drogas.

O prazer puro e belo que devemos
perseguir é o prazer de viver.

Ah, como é bom poder estar vivo, como é bom poder trabalhar, estudar, aprender e perceber a grandeza de Deus em nossas vidas. Como é bom poder levantar pela manhã, abrir os olhos e sorrir para a vida. E só pode encontrar prazer na vida quem se reconhece como filho de Deus e criatura imortal. Só encontrará o legítimo prazer aquele que perceber que não é apenas o corpo físico, descobrindo, assim, a sua essência espiritual. Somente haverá de ter prazer aquele que compreender que nasceu para evoluir, para aprender e que um dia deixará o corpo físico, mas sem que isso implique o fim de sua vida. Melhor então será buscar o prazer de viver, não o viver para o prazer.

Por outro lado, as religiões parecem divulgar a idéia de que tudo o que dá prazer é pecado. E parece que, quanto maior o pecado, maior o prazer. Essa idéia contém meia verdade. O prazer em si mesmo não representa qualquer violação às leis de Deus. Se Deus é amor, deve ser também alegria e felicidade. Não consigo ver em Deus um ser bravo, de mal com a vida. Impossível. Ele certamente não deve gostar de sofrimento, de cara feia, de gente sisuda, de gente que, a pretexto de se elevar espiritualmente, veste-se como um santo, mas vive como um demônio.

Consta que num determinado lugarejo havia duas igrejas, cada uma dirigida por um padre diferente. A igreja mais antiga tinha construção luxuosa, ocupava todo um quarteirão, tinha bancos confortáveis, vitrais coloridos com expressões litúrgicas, sistema de alto-falante e era toda revestida de mármore importado.

Já a outra igreja era bem mais simples e pequena, nem sequer estava pintada. O chão ainda era de terra batida, poucos bancos existiam e quase todos os fiéis ficavam de pé durante o culto religioso. Porém, a grande maioria dos fiéis procurava a missa da igreja mais pobre. A outra igreja somente era visitada pelos turistas, impressionados pela arquitetura e luxuosidade daquele templo religioso.

Tal fato intrigou o bispo local, que resolveu visitar aquelas duas igrejas. Foi até disfarçado para poder entender o que se passava e conversou com os moradores daquele local. Assistiu à missa nas duas igrejas e acabou entendendo o porquê da preferência dos fiéis. O jovem padre que rezava a missa no templo luxuoso era muito sério, sisudo, em nenhum momento sorria para o povo, nem tampouco conversava como os seus paroquianos. Vivia enclausurado na sacristia, cujas portas somente se abriam para receber donativos.

Já na outra igreja a coisa era diferente. O padre, apesar de sua avançada idade, era muito jovial. Suas missas eram carregadas de alegria, e ele estava sempre demonstrando um sorriso aos fiéis. Ele explicava os textos bíblicos numa linguagem adequada ao nível intelectual daquele povo simples, que ficava contagiado pela simpatia daquele sacerdote. Conversava com todos, visitava freqüentemente a casa de seus paroquianos, partilhando com eles da alegria e do sofrimento de cada família.

Então o bispo concluiu que a diferença entre os dois sacerdotes estava no prazer: o da igreja luxuosa não demonstrava o menor prazer em servir a Deus; já o outro sacerdote era apaixonante, porque tinha prazer em ser padre, em servir a Deus.

E você, querido leitor, tem encontrado prazer em sua vida?

Um bom teste é saber como você acorda pela manhã: desperta logo e já pula da cama para iniciar suas atividades com alegria ou já acorda lamentando-se por mais um dia de sacrifícios?

Só é realmente feliz quem encontra o prazer de viver. Que tal, amigo leitor, você começar a descobrir esse prazer? Comece agora, sorrindo. Isso, sorria, agora.

Estou esperando você sorrir!

Tente mais uma vez. Vamos!

Isso. Não é bom?

Cumprimente as pessoas afetuosamente, faça as suas tarefas colocando todo o seu talento, a sua energia divina. Cumprimente o dia que está iniciando para você, agradeça o sol, a noite, a lua, as estrelas, a chuva, o vento e tudo conspirará a seu favor, porque afinal de contas você está de bem com a vida. Não espere que as coisas fiquem boas na sua vida para que você comece a mudança necessária.

Aliás, as coisas só ficarão boas se você começar a ficar bom.

O seu mundo exterior é apenas o reflexo do que é o seu mundo interior. Sorria para a vida, que ela também haverá de sorrir para você! Tenha prazer em estar vivo!

Tenho a certeza de que você já está bem melhor, não acha? Isso é só o começo!

Você é preconceituoso?

"Época triste é a nossa em que é mais difícil quebrar um preconceito do que um átomo."

Albert Einstein[1]

Hoje em dia, fala-se muito em preconceito. Mas, afinal de contas, o que é mesmo preconceito? Segundo os dicionários, preconceito é um conceito formado antecipadamente, sem maior ponderação ou conhecimento dos fatos. Então, preconceito é um pré-conceito. Isso mesmo, um conceito formado apressadamente, um conceito prévio, emitido sem conhecimento de causa. Como dizia Voltaire, é uma opinião sem julgamento.

1 – Albert Einstein (1879-1955), reconhecido como o maior cientista de nossa época, tendo concebido a Teoria da Relatividade, foi laureado com o Prêmio Nobel de Física em 1921. Foi também um grande pensador, tendo oportunidade de escrever que: "Não há lugar nesse objetivo para a divinização de uma nação, nem de uma classe e muito menos de um indivíduo. Não somos todos filhos do mesmo Pai, como se diz na linguagem religiosa?" (*Einstein, vida e pensamentos*, Ed. Martin Claret).

E quem se apressa em emitir opiniões, sem conhecer as circunstâncias do caso e das pessoas, geralmente dá palpite errado.

Maria Rosa vivia inspecionando a vida alheia, principalmente a de seus vizinhos. Mantinha um rígido sistema de observação dos acontecimentos, sempre à espera de algum deslize ou de algum fato bem apimentado para logo espalhar a notícia pelo bairro. Numa noite de intenso calor, ela resolveu abrir as janelas para refrescar o quarto e acabou não resistindo à tentação de dar uma espiada na rua. Era madrugada e acabou permanecendo na janela por mais de meia hora. Tudo estava muito monótono até que viu se aproximar um carro que parou na porta de dona Rita, sua vizinha, com quem não mantinha bom relacionamento. Viu que no carro estava Lúcia e seu namorado. Olhando pelas frestas da janela, acompanhou o desenrolar daquela cena que prometia fatos comprometedores. E não foi diferente. Maria Rosa notou que a jovem Lúcia saiu do carro totalmente embriagada, com as vestes em desalinho e os cabelos despenteados, quase carregada pelo namorado. "Quanta perdição", pensou Maria Rosa.

No dia seguinte, logo pela manhã, na fila do pão, Maria não perdeu a oportunidade. Dirigindo-se ao sr. Antônio, dono da farmácia, disse-lhe, em clima de mexerico:

"O senhor nem sabe. A Lúcia, filha de dona Rita, a menina está perdida. Passou a noite toda na farra com o namorado, chegando em casa de madrugada, quase sem as roupas e visivelmente embriagada."

"Que é isso, dona Maria! – Exclamou o farmacêutico. – Na verdade, a jovem Lúcia procurou-me esta noite com uma terrível cólica renal e tal era o seu estado que a mandei direto ao pronto-socorro. Hoje, logo cedo, fui à sua residência e sua mãe disse-me que ela estava dormindo depois de receber medicação relaxante e analgésica no hospital. De fato, chegou em casa de madrugada, socorrida pelo namorado, que a carregava nos braços tal era o estado de sedação em que ela se encontrava".

Desapontada com a verdade dos fatos, Maria Rosa "enfiou a viola no saco" e voltou a sua residência, à espera de novos acontecimentos para seus apressados julgamentos.

Meu irmão, será que nós também não estamos emitindo julgamentos sem ter conhecimento dos fatos sobre os quais estamos opinando?

A rigor, deveríamos deixar de julgar tanto e sermos meros observadores. Ver sem julgar, eis uma tarefa que poucos conseguem fazer. Porque, julgando sem conhecer, nós estamos desconsiderando detalhes importantes do fato em observação, razão pela qual nossa opinião nunca refletirá a verdade do que ocorreu.

Além disso, acho também que nós vemos apenas o que queremos ver. A mesma cena vista por duas pessoas freqüentemente enseja opiniões diversas. Vejam, por exemplo: uma pessoa com o hábito da crítica sempre encontrará algum defeito para apontar, por mais imperceptível que aquele defeito pareça aos olhos de outrem. É como ela vê a vida.

Em minha vida profissional, também tenho notado que duas testemunhas de um mesmo episódio podem apresentar versões diferentes para o mesmo fato. E podem não estar mentindo. Apenas estão dizendo o que viram, de acordo com o que puderam ver, com a capacidade de observação de cada uma. Por isso é que se diz na ciência jurídica que a prova testemunhal não é de muita confiança.

O preconceituoso julga muito as pessoas pelas aparências. Se estão bem vestidas, bem apresentadas, acha que são boas. Mas se a roupa não lhe agradou certamente não lhe dará a mesma confiança. Consta que uma pessoa de boas posses, mas muito simples no vestir e no falar, interessava-se pela compra de um carro importado. Foi até uma loja e o vendedor não lhe deu a mínima importância, afinal de contas ele não estava trajado à altura para comprar um carro de 70 mil dólares. O vendedor quase nem respondia às suas perguntas sobre as qualidades daquele veículo tão caro. Pois bem, aquela pessoa saiu da loja um tanto chateada, pois o vendedor deu-lhe pouquíssimas informações a respeito do veículo que ele desejava adquirir e que, afinal de contas, representava um investimento de grandes proporções.

O comprador frustrado saiu da loja e, porque estava decidido a adquirir aquele automóvel, foi procurar outra revendedora, no mesmo dia. Chegando ao local, foi atendido por uma vendedora simpática e atenciosa, que não deu importância à sua vestimenta simples. Deu-lhe todas as explicações sobre o veículo e conquistou o cliente. O negócio foi fechado na hora e dois dias depois aquele homem já estava de posse do novo veículo.

Veja então, meu amigo, que o preconceito daquele primeiro vendedor impediu a concretização do negócio.

O preconceito pode ainda apresentar várias facetas: racial, religiosa, social, sexual, etc. Todas elas revelam uma falsa percepção da realidade. O branco pode julgar-se superior ao negro; aquele que professa uma determinada religião pode achar que as demais estão erradas e que só a sua é a verdadeira[2]; o rico pode achar-se melhor que o pobre e o homem acreditar-se superior à mulher.

Ora, quanta ilusão! Nós estamos tachando as pessoas, rotulando suas idéias e concepções, sem jamais conhecê-las.

Como posso afirmar que alguém
não é bom só porque não professa
a mesma religião que a minha?

Muita gente diz que todo político é ladrão, mas essas pessoas nem sequer conhecem um político. Julgam pelo

2 – Numa reportagem a respeito de Chico Xavier, o conhecido Frei Beto, católico, escreve o seguinte a respeito do médium de Uberaba: "Chico Xavier é cristão na fé e na prática. Famoso, fugiu da ribalta. Poderoso, nunca enriqueceu. Objeto de peregrinações a Uberaba, jamais posou de guru. Quem dera que nós, católicos, em vez de nos inquietar com os mortos que escrevem pela mão de Chico, seguíssemos, com os vivos, seu exemplo de bondade e amor" (Revista *Época*, 08.06.1998).

que os outros dizem e falam, geralmente também sem conhecimento de causa. Aliás, as expressões "todo", "sempre", "nunca" são muito perigosas, porque expressam generalizações. E toda generalização põe várias pessoas num mesmo nível, o que é verdadeiramente impossível.

Na oração dominical, Jesus inicia a rogativa chamando Deus de Pai. Isso tem uma implicação muito séria para todos nós. Se Deus é Pai, nós somos seus filhos e, portanto, todos nós somos irmãos. O negro é irmão do branco; o rico é irmão do pobre; o religioso é irmão do ateu e de todos os demais que não professam a mesma fé. E o Mestre Jesus, na mesma oração, diz: PAI NOSSO, ou seja, Jesus não diz Pai meu, mas diz Pai nosso. Vale dizer: pai de todos nós, inclusive daqueles que detestamos. Pode crer, meu amigo. Deus não tem filhos prediletos, pois do contrário Ele não seria justo. E é inconcebível a idéia de um Deus injusto, não acha?

As idéias preconceituosas assentam-se na falsa premissa de que alguém possa ser superior a outrem.

Pura arrogância. Ainda mais se analisarmos a questão pelo prisma da imortalidade da alma. Hoje eu estou reencarnado numa determinada classe social, mas amanhã poderei estar reencarnado em outra. Hoje eu estou reencarnado num corpo masculino, mas amanhã poderei estar num corpo feminino. Você já pensou nisso? Se hoje desprezo determinada condição racial, social, religiosa ou política, amanhã muito provavelmente estarei reencarnado entre aqueles pertencentes ao grupo que hoje hostilizo.

Na verdade, querido leitor, ninguém é melhor do que ninguém. Nós apenas somos diferentes uns dos outros. Mas a nossa essência é a mesma: filhos de Deus, herdeiros do universo, espíritos imortais. Veja a beleza de um grande jardim: várias flores, cada uma com sua cor característica; flores amarelas, rosas, brancas, vermelhas, numa amplidão de matizes. Cada uma também tem seu perfume característico, umas mais suaves, outras mais marcantes. Mas a beleza do jardim não está numa determinada flor. A beleza está no todo, naquele imenso colorido, naquela beleza multiforme, naquela mistura de fragrâncias.

Você, meu amigo, é uma flor nesse imenso jardim que é a vida. Você compõe o jardim de Deus, mas não se acredite como a única flor existente, nem a mais bela, pois outras existem, diferentes de você, mas também com a mesma beleza.

Valorize-se, mas não se esqueça do valor das outras flores. A harmonia está exatamente na diversidade.

Liberte-se, pois, de seus preconceitos e você
verá em cada ser uma porta aberta para Deus.

Só é realmente livre quem estiver liberto das algemas do preconceito. Livre-se delas e viva mais feliz porque Deus ama a todos os Seus filhos igualmente.

Você não acha?

Você se ama?

"Você só pode ser para os outros
aquilo que é para si próprio."

Leo Buscaglia

O amor é o mais sublime dos sentimentos. Ele é o maior e o melhor combustível de que dispomos para nos conduzir pelas estradas da vida. Sem ele não se vai muito longe, mas com ele nossos horizontes se alargam indefinidamente.

A razão de tanto sofrimento no planeta ainda se dá pela ausência de amor. As pessoas falam muito de amor, mas pouquíssimas amam efetivamente. A palavra amor acabou ficando desgastada com o tempo exatamente porque as pessoas falam muito e vivem pouco o amor que apregoam. Geralmente, reclamam da falta de amor, mas não dão amor, ou seja, querem receber, mas não estão dispostas a dar.

Na verdade, grande parcela da humanidade está muito dependente do amor do outro, vale dizer, muitos estão viciados em receber amor de outra pessoa. Em regra, alegam:

"Ah, só serei feliz quando você me amar."

"Ninguém me ama, por isso sou infeliz."

"Se você me amar, eu também a amarei."

Minha gente, que falta de amor, não acha? Não falo só do amor de homem para mulher, ou vice-versa, mas do amor como um todo. Na verdade, constata-se que as pessoas não se amam, embora estejam à procura de amor. E veja que situação curiosa: a grande maioria das pessoas deseja receber amor, mas está pouco disposta a amar, e muito menos amar a si mesma. Será que o amor vai aparecer? Acho difícil.

Mas como resolver? Tudo começa pelo amor que devemos dar a nós mesmos. A religião deu uma parcela de contribuição para que as pessoas não se amem, pois alegava que se amar era uma forma de egoísmo. Puro engano!

Em nenhum momento do Evangelho,
Jesus condena a pessoa que se ama.

O perigo é a pessoa não expandir seu amor ao semelhante. Jesus ditou sua lei maior recomendando-nos que o mesmo amor que temos por nós devemos também ter por nossos semelhantes. Logo, em momento algum,

Jesus condena o amor a si mesmo. Muito pelo contrário, recomendou que esse sentimento de amor que a pessoa tem por si própria, de tão bom que é, também se estenda aos outros.

Porém, muita gente, a pretexto de uma falsa humildade, mutila-se e renega-se e vai querer tentar amar o próximo. A pessoa não se aceita, acha-se repleta de defeitos, não tem cuidado com o seu corpo físico, mas está loucamente tentando amar alguém, porém odiando a si própria. Contudo, com tal sentimento, não vai conseguir amar sequer um mosquito.

Se nem os seus defeitos a pessoa consegue agüentar, que dirá das imperfeições dos outros.

E quando esse alguém que não se ama inicia um relacionamento amoroso, provavelmente do outro lado da linha acha-se alguém que também não se ama e está procurando alguém para amar (melhor, tentar amar). E aí o relacionamento torna-se muito curioso: um cobra do outro mais amor, atenção e carinho, exatamente porque ambos querem receber, mas não estão dispostos a dar. O relacionamento conjugal não se torna produtivo, abastecedor, revigorante, ao contrário, tudo conspira para uma vida conjugal asfixiante.

A pessoa que não se ama busca no outro o amor que ela mesma não se dá.

Às vezes, nos Centros Espíritas, tenho visto trabalhadores carrancudos, rancorosos e melindrados. Todos desejosos de ajudar o próximo, a pretexto de um amor que nem sequer conseguem externar para si mesmos. Outro dia, visitando um Centro Espírita, encontrei um trabalhador tão sisudo e carrancudo que não agüentei e fiz-lhe a seguinte indagação: "Você se ama?" Ele ficou embaraçado com a pergunta, mas pouco a pouco foi me dizendo que se achava com tantos defeitos que não era digno de ser amado, nem por ele, nem por Deus. Revelou que não suportava sua própria pessoa, que era muito egoísta, vivia irritado e já manifestava alguma tendência para o alcoolismo. E despencou no choro, sem parar.

Mesmo assim, ainda que nutrindo tanto ódio por si mesmo, aquele irmão estava querendo ajudar alguém, pretendia exercitar o amor recomendado por Jesus. Pena que ainda não tinha percebido que a lição deveria começar com ele mesmo.

Será que ele teve sucesso na sua tentativa? Dificilmente, uma vez que era incapaz de aceitar os seus próprios erros, suas próprias limitações. Como pretender amar os outros? Se ele não se aceita, não aceitará os irmãos que sequer conhece. Se ele não se perdoa, não terá condições de perdoar os outros. Se ele, que se conhece, não se ajuda, provavelmente não terá condições de auxiliar aqueles a quem nunca viu. Tenhamos o cuidado de não sermos cegos guiando cegos, como advertiu Jesus.

Meu querido leitor, será que você está se amando?

Para responder, dou-lhe algumas pistas. Em primeiro lugar, veja se você já se conhece. Sabe quem você é? Sem o autodescobrimento, é impossível se amar, porque ninguém ama quem não conhece, nem se o desconhecido for você mesmo. Descubra-se, não seja um desconhecido para você mesmo[1].

Faça uma meditação diária, reservando-se, ao menos, cinco minutos do seu dia para essa grande viagem interior.

Um dia tem 1440 minutos e eu acho que
você merece, pelo menos, cinco minutos
para esse grande trabalho interior.

Em segundo lugar, descobrindo-se quem é, aceite-se como é. Medite, sem culpa. Não vá se ferir. Nessa descoberta, você encontrará alguém que talvez não conhecia, talvez com defeitos que você mesmo não admita e nem suporte. Mas não importa. Aceite-se. Você é um espírito em evolução. Você ainda não é perfeito e está muito distante da perfeição relativa a que todos nós estamos fadados. Se você já fosse perfeito, não teria reencarnado no planeta Terra e estaria vivendo em mundos mais felizes. Admita seus erros e suas limitações, e assim estará habilitado a compreender os erros dos outros.

1 – Kardec fez a seguinte indagação aos espíritos superiores: "Qual o meio prático mais eficaz para se melhorar nesta vida e resistir ao arrastamento do mal?" A resposta foi maravilhosa: "Um sábio da antigüidade vos disse: Conhece-te a ti mesmo" (*O Livro dos Espíritos*, questão nº 919).

Então, sem medo e sem preconceito, aceite-se. Mas não se acomode com aquilo que você é. Melhore-se a cada dia.

Seja a cada novo dia melhor do
que você foi no dia anterior.

Aliás, você está aqui exatamente para crescer, para evoluir. Estudar, trabalhar, casar, ter filhos, divertir-se são apenas situações estimuladoras do seu crescimento. Quem fica parado é poste, diz a sabedoria popular. Quando o indivíduo deixa de se trabalhar interiormente, de crescer como espírito, o sofrimento logo aparece. É curioso ver como o sofrimento impulsiona o nosso progresso espiritual, não é mesmo? Então, caro amigo, não espere por ele, trabalhe-se interiormente e melhore-se um pouco a cada dia. Quanto mais crescer por esforço próprio, menos precisará da companhia do sofrimento. Que maravilha, não é?

Agora, conhecendo-se, aceitando-se e melhorando-se, você estará em condições de se amar. Olhe-se, agora. Vá para a frente do espelho. Vamos, agora. Levante-se e leve o livro.

Isso. Agora, veja-se profundamente. Eu espero.

Agora pense que você é muito especial, pois ninguém na face da Terra é igual a você. Deus o criou num momento único, tocado do mais perfeito e sublime amor. Não existe em todo o universo alguém igual a você. Sinta-se herdeiro de Deus, dono do universo, senhor das estrelas, que neste exato instante brilham só para você.

Agora, dê-se um abraço bem gostoso. Vamos, eu espero.

Sinta cada parte de seu grandioso corpo. Cada órgão, cada membro, cada célula. Diga ao seu corpo que você o ama e que daqui em diante você vai cuidar melhor dele.

Agora sinta como está o seu coração. Que maravilha, não é? Quanta alegria, não acha? Sabe por quê?

Porque você, por alguns segundos, foi capaz de fazer algo de bom por você mesmo. Foi capaz de começar a se amar. Já pensou se você investir neste sentimento? Aposto que muitos milagres acontecerão em sua vida, porque nada resiste à energia do amor. Aliás, a melhor definição que deram de Deus é a de que Deus é amor. Ora, quanto mais eu manifestar o amor em mim, mais Deus estará em mim. Não tem outro caminho.

Agora, finalmente, meu amigo, você está habilitado a amar os outros, nossos irmãos. Isso é inevitável, porque o amor verdadeiro em nós é tão bom que não conseguiríamos que ele ficasse retido em nosso ser. O amor é a expansão dos mais sublimes sentimentos. Jesus é a maior prova disso. Neste instante, silencie por mais alguns instantes e não se perca no burburinho do mundo. Fique com você, com amor. Não se perca de você, para somente então poder encontrar os seus irmãos.

Isso não é muito bom?

Você perdoa?

"Para cada minuto de raiva, você perde 60 segundos de felicidade."

Lair Ribeiro

Talvez muitos relutem em ler este capítulo. Mas se o amigo leitor chegou até aqui, não desista. Não fuja de uma das mais importantes perguntas da sua vida. Afinal, você é uma pessoa que perdoa?

Dizem que perdão é coisa de gente fraca, medrosa, de gente boba. Muitos afirmam, com ares de uma suposta superioridade:

"Eu não levo desaforos para casa."

"Se mexerem comigo, eu rodo a baiana."

"Escreveu, não leu, o pau comeu."

Você é um deles?

Mas será que a pessoa que perdoa demonstra mesmo fraqueza de caráter? Tenho a certeza de que não. Aliás, esta certeza não é minha, é do Cristo, que nos recomendou e viveu o perdão incondicional. E não consta que o Nazareno tenha demonstrado em Sua vida fraqueza de caráter. Até pensaram que Ele era meio fracote, já que, quando perseguido, preso e açoitado, não esboçou qualquer gesto de reação. No auge de seu martírio na cruz, flagelado e desprezado, ainda foi capaz de clamar ao Pai que perdoasse os seus ofensores.

Só que hoje ninguém se lembra daqueles que o crucificaram. A história nem sequer registra os nomes dos juízes que lavraram a sentença de morte do Mestre Jesus. Mas o nome do crucificado, do imaginado fraco, do grande pacificador, cruzou os mares e venceu a linha do tempo, ficando conhecido no mundo todo, a tal ponto de dividir a história da humanidade em dois períodos: antes d'Ele e depois d'Ele.

Até hoje não vi qualquer pessoa me dar alguma razão plausível para não perdoar. Mas encontrei milhares de razões para exercitar o perdão. Vamos ver algumas delas?

A primeira razão para perdoar reside na constatação de que todos nós ainda somos seres imperfeitos. Não há ninguém, no atual estágio do planeta Terra, que tenha atingido a perfeição. E porque estamos distantes dela, o erro faz parte do cenário de nossas vidas. A visão da eternidade abre os nossos horizontes, pois se já percorremos inúmeras estradas encarnatórias muito já aprendemos, porém temos que aprender centenas de outras lições. E como o Criador está em constante processo de criação, cada um de nós iniciou a sua trajetória evolutiva em época própria e distinta da dos demais. Logo, cada um está em determinada faixa evolutiva, com determinados aprendizados já realizados e com muitos outros ainda a realizar.

Então, se alguém me ofende, não o faz por maldade, mas por ignorância.

Significa, por exemplo, que a pessoa que nos ofende ainda não aprendeu a lição do respeito. Somente quem tem a visão da imortalidade do espírito pode compreender a trajetória que todos nós realizamos, passo a passo, degrau a degrau. Outro exemplo: se déssemos a um aluno do primeiro grau uma equação algébrica para resolução, dificilmente ele conseguiria decifrar aquelas formulações matemáticas. E nem por isso seus professores ficariam decepcionados com ele. Simplesmente entenderiam que ele não estava em condições de resolver o problema. Ele ainda era ignorante em álgebra. Futuramente, não será mais.

Sendo assim, haveremos de aceitar as pessoas como elas são: carregadas de virtudes e defeitos. Não há perfeição nas pessoas. Nós ainda não somos perfeitos. Meu amigo, vamos sair da ilusão de que os outros devem ser perfeitos, que devem acertar sempre, principalmente quando agem conosco!

Muitos dizem: “Ah, eu me desiludi com aquela pessoa”. “É claro”, direi. Sabe por quê? Você se iludiu com ela, ou seja, você sempre pensou que ela seria perfeita o tempo todo. Você, provavelmente, notou muitas virtudes e aí passou a imaginar que ela era um anjo caído do céu, só para você. Mas, quando a pessoa mostrou que também tem defeitos, veio a desilusão. Veio o engano. Veio a decepção. E você diz não conseguir perdoá-la porque se acha muito magoado. Porém, o problema não está no outro, pois era mais do que previsível que essa pessoa, por mais especial que fosse, um dia acabaria agindo de forma diversa daquela que esperávamos. O erro está em nós, que não aceitamos as pessoas como elas são: com suas virtudes, mas também com seus defeitos.

Será que você está aceitando as pessoas como são? Será que você está esperando muito dos outros? Será que você está esperando lidar com seres angélicos num planeta de expiação e provas?

Então poderemos dizer:

SEM ACEITAÇÃO, NÃO TEM PERDÃO!

Aceitando os nossos irmãos como eles são, nossos relacionamentos ficarão muito melhores. Sabe por quê? Não haverá tanta cobrança, não haverá tanta expectativa da nossa parte. E quando eles fatalmente errarem e eventualmente nos prejudicarem haveremos de lembrar do Mestre Jesus, que perdoou a todos, exatamente porque aceitou a cada um de nós, do jeitinho que nós somos.

Um bom outro motivo para esquecer as ofensas reside na constatação de que o perdão traz um grande alívio para quem perdoa. Nem sempre para quem é perdoado. Certa feita, tive conhecimento de um caso em que um reeducando cumpria pena por vários crimes, sendo um deles homicídio. Estava condenado a 27 anos e já tinha cumprido quase a totalidade da pena. Em pouco tempo ganharia a liberdade. Fora ele entrevistado na cadeia pública, confessando que, embora estivesse quite com a Justiça, carregava imensa culpa e remorso pelos delitos praticados. Achava, no seu íntimo, que mereceria ficar o resto de sua vida na prisão. Contou que a família da vítima já o havia perdoado, visitando-lhe, vez ou outra, na cadeia. Mas ele mesmo não conseguia se livrar da culpa pelos seus delitos. Sairia das grades de ferro, mas não conseguiria se livrar da prisão de sua consciência, mesmo tendo sido perdoado pelos familiares da vítima.

Quanto a esses últimos, tenho a certeza de que estão em paz, de que estão muito bem, simplesmente porque perdoaram. Se você não perdoa, ou seja, se você não aceita a pessoa e não esquece as ofensas, certamente carregará esses sentimentos para o resto da sua vida. Carregará com você todo o lixo tóxico que a mágoa e o ressentimento produzem em seu organismo físico, gerando doenças de difícil tratamento. Talvez ainda seja normal sentir uma certa revolta momentânea, um desagrado com a situação, mas não devemos guardar mágoa, porque ela nos faz muito mal, principalmente para a nossa saúde.

Então, como vem dizendo Divaldo Pereira Franco:

O perdão é sempre melhor para quem perdoa.

Alguém o ofendeu?

Problema dele.

Ela o magoou?

Problema dela.

Não se contamine pela raiva, pela cólera e pela mágoa. Esqueça as ofensas e você viverá melhor. Viverá em paz e estará com a sua consciência tranqüila e pronta para merecer o perdão das pessoas que você também prejudicou com seus atos, palavras e pensamentos, pois somente será perdoado aquele que perdoar. Essa é a lei.

Meu amigo, faça uma proposta para você mesmo: passe uma borracha em todas os sentimentos de mágoa que porventura ainda gravitam em torno de você. Liberte-se do ódio, expulse a mágoa, perdoe os seus ofensores e perdoe-se também, pois todos nós ainda necessitamos do perdão de Deus ensinado por Jesus na oração do Pai Nosso.

Se Deus, a Suprema Bondade, compreende os nossos erros, compreende a nossa fragilidade, por que nós não haveríamos de também entender os deslizes alheios?

Perdoar também é caridade. Por que você não tenta? Experimente e será outra pessoa. Eu aposto.

Você tem um anel?

"As feridas da alma nunca são
curadas com sexo, comida ou poder,
e sim com carinho, atenção e paz."

Roberto Shinyashiki[1]

A luta pela aquisição dos bens materiais tem provocado alguns equívocos por parte de muita gente. O maior deles diz respeito à verdadeira condição de proprietário dos bens conquistados.

O homem estuda, trabalha, luta, sofre e acaba adquirindo uma infinidade de bens, nem todos necessários ou úteis à sua sobrevivência. Mede-se sua importância na

1 – Roberto Shinyashiki, médico, escritor de livros consagrados como *Pais e filhos, companheiros de viagem* e *O sucesso é ser feliz*, publicados pela Editora Gente. Em seu último e maravilhoso livro, o autor esclarece que: "A bondade é fundamental para a felicidade. A generosidade é fruto da capacidade de sermos ricos de espírito. O indivíduo mesquinho é o ser mais pobre que existe, pois cobra até os centavos da vida" (*O sucesso é ser feliz*). Não deixe de ler.

sociedade pela maior ou menor quantidade de bens adquiridos. Quanto mais tem, mais importante é. Quanto mais títulos apresenta, maior também a sua importância. Recordo-me da advertência do ilustre desembargador Weiss de Andrade, quando ingressei na magistratura:

> "Cuidado com as honras; elas não são para você, são para o cargo que você ocupa."

É uma grande verdade.

Mas o que eu gostaria de refletir juntamente com você, leitor, diz respeito à verdadeira propriedade. Quem é verdadeiramente proprietário de todas as coisas; quem é realmente rico. Será que o leitor vai me acompanhar nesta importante descoberta?

Na ciência do direito, descobri alguns conceitos jurídicos que vão nos ajudar muito nesta reflexão. Inicialmente, vamos ver as espécies de propriedade. Diz-se que a propriedade poderá ser plena ou limitada. Na propriedade plena, o proprietário pode usar, gozar e dispor do bem de forma absoluta, exclusiva e perpétua. Já na propriedade limitada, o proprietário perde alguns dos poderes típicos de dono. Quer um exemplo? Vamos lá.

Você provavelmente já ouviu falar da figura do usufruto. O usufrutuário é aquele que detém os poderes de usar e gozar de um bem imóvel, não sendo, porém, o seu proprietário. Veja o seguinte exemplo: o pai faz ao filho a doação de um imóvel de sua propriedade, mas reservando para si o usufruto do bem até a sua morte. O pai, ao fazer a doação, deixa de ser proprietário para ser usufrutuário enquanto viver. O filho é chamado de nu-proprietário, ou seja, tem a propriedade recebida do pai, mas não pode usufruí-la até a morte de seu genitor.

Acredito que o leitor entendeu, não é mesmo? Disse tudo isso para que o leitor se pergunte: "Em relação aos nossos bens, somos proprietários ou usufrutuários? Será que temos a propriedade plena dos bens que possuímos?"

Muitos dirão que sim, que são proprietários legítimos, com documentos registrados, pois lutaram a vida toda para alcançar aqueles bens. Perante as leis terrenas, eles podem estar certos. Mas perante as leis espirituais todos nós somos meros usufrutuários desses bens. Está assustado? Não fique, amigo leitor. Vamos pensar melhor neste assunto tão importante?

Perante as leis cósmicas, tudo pertence
a Deus, tudo pertence à vida.

Nada nos pertence definitivamente, perpetuamente. Basta constatar que ao desencarnarmos não poderemos levar nenhum dos bens adquiridos. Nem uma agulha, nem um alfinete. Tudo fica aqui, porque nada nos pertence.

Mas alguns poderão dizer: "Meus bens ficarão para meus filhos". "Quem garante?", pergunto eu. Tenho visto fortunas se dissiparem em inventários. Bens duramente conquistados desapareceram em horas ou minutos nas mãos dos herdeiros. E o desencarnado, antigo dono daqueles bens, freqüentemente é levado pelos mensageiros do bem a verificar o que seus herdeiros fizeram com a herança. Dizem os espíritos superiores que são experiências muito dolorosas para esses desencarnados, pois constatam que a morte arrebatou-lhes toda a fortuna e que nem os herdeiros souberam conservá-la.

"E aí?", eu pergunto. Onde a propriedade plena e ilimitada sobre os bens daquele irmão desencarnado? Nem ele mais possui, tampouco seus familiares. Tudo se transformou.

Mesmo em vida, ninguém poderá dizer que tem a propriedade eterna dos bens. Quem garante o que nos sucederá no dia de amanhã? Já vimos grandes fortunas se desmoronarem de um dia para o outro. E não precisa ser rico para fazer tal constatação. Tenho um amigo que trabalhou duro por vários anos para poder comprar um carro usado. Um dia, às vésperas do Natal, conseguiu adquirir um veículo. Estacionou-o à porta de sua residência, todo feliz da vida. Quando acordou, o carro já não se encontrava naquele local. Havia sido furtado.

Também conheço casos de pessoas bem abastadas que acabaram dissipando toda a riqueza em gastos com doenças de improvável cura. E o pior: gastaram tudo, mas todo o dinheiro não foi capaz de comprar a saúde do familiar enfermo. Ficaram sem o doente e sem a riqueza material.

Não acha que esses fatos são duras lições da vida para que nós enxerguemos a nossa realidade espiritual e a nossa condição de meros usufrutuários dos bens? Nada nos pertence definitivamente, pois toda a propriedade é transitória. Nós estamos apenas usufruindo temporariamente desses bens, mas um dia eles deixarão a nossa posse para ingressar no patrimônio de outras pessoas ou até mesmo se desintegrarem para sempre.

E você, meu amigo, será que tem sido um bom usufrutuário dos bens que a vida lhe confiou?

Veja que nada lhe pertence e um dia terá que prestar contas do que fez com os bens que lhe foram emprestados. Aqui me lembro da parábola dos talentos magistralmente narrada por Jesus. Consta que um homem, precisando fazer uma longa viagem, reuniu seus empregados e confiou-lhes seus bens. A um empregado deu cinco talentos; a outro deu dois e a um outro deu um talento. Os dois primeiros empregados multiplicaram seus talentos. O último, sabendo que seu patrão era homem rigoroso, fez uma cova e lá enterrou o dinheiro. Quando regressou o empregador, seus funcionários foram chamados a prestar contas. Os dois primeiros devolveram o dobro dos talentos recebidos, o que deixou o patrão bastante feliz. Já o último devolveu o mesmo talento, deixando seu empregador irado pela preguiça de seu empregado, tendo ele perdido o dinheiro recebido.

E a história termina com a advertência:

> "Ao que tem muito, mais lhe será dado.
> E ao que não tem, até mesmo o pouco
> que tem lhe será tirado."[2]

Foi o que ocorreu com o empregado egoísta. Reteve o talento, acabando por perdê-lo. Recebeu pouco e não multiplicou. Os demais receberam mais e multiplicaram, sendo ambos agraciados pelo empregador.

Nós, amigo meu, recebemos muitos talentos da vida, dentre os quais os bens terrenos. Devemos multiplicá-los, compartilhando com os desvalidos do caminho. Recordo-me de uma memorável passagem de Bezerra de Menezes, então encarnado, ocasião em que atendeu em seu consultório a uma criança que já havia sido desenganada pelos médicos. Depois de minucioso exame, Bezerra constatou que o problema era desnutrição e prescreveu uma fórmula homeopática, recomendando à mãe extrema urgência na aquisição do remédio.

A mãe, já marcada por tanta dor e sofrimento, pegou a receita, mas devolveu-a imediatamente ao dr. Bezerra, dizendo-lhe que não tinha condições de adquirir aqueles remédios, pois nem para comer possuía dinheiro. Tocado de amor, Bezerra levou as mãos ao bolso e também constatou que não tinha um níquel para dar àquela pobre mãe.

2 – Mateus, capítulo 25, versículo 29.

De repente, Bezerra olhou para as mãos e notou seu anel de grau, símbolo do curso superior em medicina, e imediatamente o retirou do dedo e entregou àquela senhora, dizendo-lhe para trocar o anel pelo remédio e ainda ficar com o troco para comprar alguma comida. O amoroso Bezerra de Menezes converteu a jóia em comida e remédio, salvando a vida de alguém que já estava desenganado pela medicina. Mas, exercendo a medicina divina, Bezerra desapegou-se de um bem que era símbolo dos que possuíam grau superior e converteu o valor da jóia em moeda capaz de salvar a vida de uma pequena criança.

Bezerra de Menezes havia entendido a parábola dos talentos e multiplicou seu anel em valores que salvaram uma vida humana. Querido leitor, as leis cósmicas tendem a favor daqueles que dão, que multiplicam. Reter é pura manifestação de egoísmo. Bom é poder compartilhar, é não se apegar aos bens que não nos pertencem e usufruí-los com sabedoria, a bem nosso e a bem de nossos irmãos menos afortunados, como fez Bezerra de Menezes, o apóstolo da caridade. Aproveite a oportunidade desta leitura e transforme suas idéias e ideais em ações concretas. Vá direto ao seu armário e veja se não há, pelo menos, algum vestuário que não usa há tanto tempo: aquela roupa que já saiu de moda, e procure alguém que esteja necessitando. O que lhe sobra será fartura para muitos. A sua prosperidade também depende

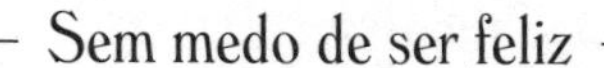

de você se libertar de tudo aquilo que não mais utiliza. Por isso que feliz é aquele que distribui, reparte, não aquele que retém[3].

Será que você tem um anel?

3 – Auta de Souza, Espírito, escreveu pelas mãos de Chico Xavier o seguinte soneto: "No reino de teu lar em paz celeste, repara quantas sobras de fartura! O pão dormido que ninguém procura, o trapo humilde que não mais se veste. Do que gastaste, tudo quanto reste, arrebata o melhor à varredura e socorre a aflição e a desventura que respiram gemendo em noite agreste! Teu gesto amigo florirá perfume, bênção, consolo, providência e lume na multidão que segue ao desalinho. E quando o mundo te não mais conforte, essa leve migalha, além da morte, fulgirá como estrela em teu caminho" (Auta de Souza, IDE).

Você quer morrer?

"Você que está aí na Terra, aproveite os dias seus,
Na caridade se encerra o coração do Bom Deus."

Jerônimo Mendonça

Se você quer viver e não morrer, não deixe de ler este capítulo. Apesar de o título indagar se as pessoas querem morrer, nós vamos mesmo é falar da vida, porque falar da morte é falar da vida. A morte e o nascimento não são portas diferentes. São apenas lados diversos da mesma porta, a porta da vida física e a porta da vida do mundo do espírito.

E, assim como nascer é um fenômeno inerente a todos nós, a morte também é implacável com todas as criaturas humanas. Queiramos ou não, todos haveremos de deixar o corpo físico, porque a morte é a única certeza que o homem tem em sua vida física. Ele não sabe quanto tempo vai viver, como vai viver, mas sabe que vai morrer.

Mas como a morte é apenas mudança, ou seja, ela não é o fim de tudo, porque o espírito é imortal, nós vamos vivendo de uma forma mais bela e mais vivida, sem o medo da chamada morte.

Abençoada Doutrina Espírita, que matou a morte e nos fez nascer para a vida. Que gostoso é saber que você nunca vai deixar de existir, não é mesmo?

Essa é a grande mensagem libertadora do Espiritismo. Ninguém morre. Seja lá o que de mais grave estiver lhe ocorrendo, problemas financeiros, desordens familiares, doenças incuráveis, liberdade cerceada, lembre-se de que você é muito mais do que o seu corpo físico. Você, antes de tudo, é um espírito imortal, eterno. Viverá para sempre, eternamente, assim como já viveu tantas outras vidas. É interessante lembrar que você já morreu inúmeras vezes, não é mesmo? E apesar disso, continua vivo, íntegro. Então a morte é apenas o esgotamento das energias do corpo físico, porém o espírito continua vivo. E, como tal, viverá para sempre. Que bom, não é mesmo? Sinta-se, agora, como um espírito imortal. Feche os olhos. Vamos, tente! Sinta-se superior a tudo, ao próprio tempo, porque você é eterno. Eu aguardo.

Aposto que você sentiu uma energia muito boa, não é verdade? É a imortalidade pulsando em você. Como Deus é maravilhoso!

Mesmo assim, pensando no temor da morte, muitas pessoas indagam se está delineado no céu o dia da nossa passagem para o além. E os espíritos superiores dizem-nos que não. O que temos, sim, é uma programação encarnatória básica, na qual os mentores responsáveis pelo nosso regresso ao corpo físico calculam, mais ou menos, o tempo preciso para o cumprimento daquele roteiro.

Ninguém tem dia certo para morrer,
mas saiba que cada dia é o dia certo para viver.

Devemos lembrar, porém, que aquela programação inicial pode sofrer alterações de ambos os lados. Muitas vezes, já próximo do tempo de desencarne, aquela programação inicial é revista pelas inteligências superiores e poderemos receber nova soma de tempo para o desenrolar da nossa existência. É a chamada moratória – um acréscimo de tempo em nossa vida física. A moratória não é regra geral, apenas exceção a demonstrar que em matéria de tempo tudo é perfeitamente variável.

Mas também nós poderemos alterar aquela programação feita pela espiritualidade superior, regressando ao mundo espiritual antes do tempo previsto. O grande escritor espírita Richard Simonetti já retratou uma situação muito interessante que se passou em um velório, mais precisamente um diálogo travado entre amigos e familiares do falecido, que ora sintetizo com outras palavras[1]. Disseram eles:

"Coitado do Genésio, descansou."

1 – *Uma razão para viver*, Ed. CEC.

"É verdade, chegou a sua hora. Estava sofrendo tanto! Ninguém morre na véspera. No dia marcado, todos irão prestar contas a Deus."

Ledo engano, meu amigo. Genésio partiu antes do tempo previsto. Morreu vitimado por uma moléstia pulmonar causada pelo uso do tabaco. Sua programação encarnatória previa uma vida física de, aproximadamente, 75 anos. Genésio morreu aos 64 anos.

André Luiz tem relatado em sua grandiosa obra[2], pela mediunidade abençoada de Chico Xavier, que raros são os espíritos que regressam ao mundo espiritual na situação de "completistas", ou seja, na condição de ter esgotado todo o tempo previsto para aquela encarnação. A maioria tem voltado antes da hora, na terrível condição de suicidas indiretos, tal como ocorreu a Genésio ou como se deu com o próprio André Luiz.

Será que nós voltaremos como completistas ou suicidas indiretos?

Depende de nós. A vida é nossa, inteiramente nossa. Nós somos os únicos responsáveis por ela. Então, meu amigo, mãos à obra, cuidando melhor do nosso carro físico, cuidando das nossas emoções e também dos nossos pensamentos.

Mas sobretudo relembrando a importância que a existência tem para nós. Tem muita gente querendo ir logo

2 – *Missionários da luz*, psicografia de Francisco Cândido Xavier, Ed. Federação Espírita Brasileira, capítulo 12.

para o plano espiritual, pretendendo morar em Nosso Lar[3], sendo vizinho de André Luiz. Meu amigo, nós só vamos definitivamente para mundos melhores quando já soubermos viver em mundos menos evoluídos, como o nosso planeta. Por enquanto, a Terra é ainda para nós a moradia possível.

Para nós a Terra ainda é o nosso grande paraíso.

Na vida espiritual, pouca gente tem se lembrado de que a lei da gravidade também tem atuação. Ninguém subirá para mundos felizes se ainda guardar o peso das próprias inferioridades. Então, por enquanto, é bom ficar por aqui e aproveitar todas as oportunidades da vida. Não regresse antes da hora.

Falo, agora, a você, meu irmão que está pensando em suicídio.

Não se engane com a idéia de que a morte
colocará fim em seus problemas.

A morte retira-lhe apenas o corpo físico, mas sua vida continua em outros planos da existência e você leva os mesmos problemas com você. Qual a vantagem de se matar?

Nenhuma. E não sou eu quem diz.

3 – Nosso Lar é uma colônia espiritual muito agradável, descrita no livro de mesmo nome de autoria de André Luiz.

São os espíritos dos suicidas que voltaram
e disseram que o regresso prematuro não
eliminou a carga de seus sofrimentos.

Ao contrário, sofreram mais, porque perceberam que o suicídio foi um grande equívoco. Perceberam eles que as chances que tinham de mudar algo estava exatamente no mundo físico, de onde partiram, por opção própria, antes do tempo programado. Até hoje, meu amigo, não voltou nenhum suicida para contar que a extinção prematura da vida foi um sucesso. Todos se arrependeram, amargamente. Viram, tardiamente, que as chances de felicidade estavam no plano físico, apesar de todos os problemas que enfrentavam, e que se tornaram minúsculos ante o drama do desenlace prematuro.

E, se não foi bom para eles, também não será bom para você. Largue essa idéia, meu amigo. A vida está lhe reservando grandes coisas. Tem um tesouro à sua espera. Procure-o.

Solicite a ajuda de um amigo, de um familiar, peça orientação médica, psicológica e religiosa. A vida só é boa se for vivida. Não fuja de você.

Nenhum problema é tão grande
que você não possa enfrentá-lo.

Sabe por quê?

Porque sua essência é divina. Lembre-se de que você é uma centelha divina, criada por Deus para viver feliz

eternamente. Lá dentro do seu coração tem uma luz muito grande que você não está deixando iluminar o seu caminho. Olhe para você agora, meu amigo. Vamos, olhe-se e veja como você é importante, não para os outros, mas para você mesmo. Veja o seu corpo maravilhoso. Vai desperdiçá-lo?

Tenho a certeza de que você tomará outra resolução, vivendo a sua vida da melhor forma possível. Acredite na vida e ela será bela para você. Deus quer o seu bem, a sua felicidade e só está esperando você tomar a resolução de querer viver.

Ame-se. Fuja do suicídio, direto ou indireto. Sejamos aqueles que valorizam a existência.

Dificuldades o afligem? Todos temos, até Jesus teve. O dr. Lair Ribeiro, médico e escritor de sucesso, tem dito que só não tem problemas quem está no cemitério. É verdade. Mas quem sabe que a vida não termina com a morte tem visto que até no cemitério nós encontramos espíritos com inúmeros problemas. Mas dificuldades são experiências, lições que temos que aprender e não fugir delas. Até porque a fuga não resolve, só agrava, porque lição não aprendida é lição repetida. Como é bom exercitar a nossa capacidade de resolver problemas, você não acha? Um aluno só é aprovado na escola se for capaz de resolver as tarefas que lhe forem dadas pelos professores.

Lembrei-me, aqui, de Jerônimo Mendonça, alcunhado pelos espíritas que o conheceram de O Gigante Deitado. Jerônimo, por volta dos 17 anos de idade, começou a padecer de inúmeros problemas de saúde, até ficar totalmente paralítico, nem o pescoço podia mover. A cegueira também o visitou e tamanhas eram as suas dores no peito que necessitava de um peso de 20 quilos de areia sobre o tórax, a fim de minimizar o seu sofrimento. Qualquer um diria que era melhor ele morrer do que padecer aquele intenso sofrimento. Se já nos fragilizamos com uma unha encravada, uma gripe, que diria se enfrentássemos as dores que marcaram a vida daquele homem.

Porém, apesar da dor, de uma vida totalmente atrelada ao leito, ele não se abateu. Viveu intensamente a sua vida e foi um homem extremamente produtivo. Deitado numa cama ambulante, viajou pelo Brasil afora proferindo centenas de palestras e conferências, cantando e consolando milhares de pessoas. Fundou e ajudou a manter diversas instituições de caridade. Eu até me lembro de uma vez em que ele esteve no programa do Chacrinha. Eu era adolescente e espantei-me com aquele homem preso numa cama, com óculos escuros por causa da cegueira. Porém, aquele homem estranho demonstrava uma alegria e um sorriso que nem o Silvio Santos conseguiria reproduzir. Era a alegria de viver. Jerônimo sorria, cantava, ditava mensagens, fazia palestras e conferências, demonstrando profundo amor pelas criaturas e transformando sua dor em serviço ao próximo.

Tratou suas feridas no amor que consagrava
àqueles que dizia serem mais infelizes do que ele.

Isso só foi possível porque Jerônimo acreditava que a vida não termina no túmulo. Então viver é uma grande oportunidade. É uma benção. Perguntem, por exemplo, ao Chico Xavier se ele quer desencarnar. Qualquer um de nós que estivesse na sua condição já estaria ansioso para residir em mundos mais felizes. Mas Chico pede a Deus que o conserve o quanto possível entre nós para poder trabalhar mais um pouco. Que vontade de viver, não é mesmo?

Esqueça os seus problemas e trabalhe para equacioná-los. Ser feliz não é viver sem problemas, mas é viver gerenciando as dificuldades da vida, assim como fez Jerônimo Mendonça. Tudo tem jeito. Comece se amando, valorizando a sua vida, que é sua e de mais ninguém. Cuide dela. Jogue fora todo pensamento negativo sobre você. Sinta-se capaz, porque você é capaz, pois do contrário não seria filho do Criador. E, se Deus é a máxima perfeição, você também guarda em si os atributos dessa perfeição.

Recorde-se do que disse Jesus ao ressuscitar Lázaro:

Levanta-te e anda!

É o que Jesus diz a você, agora, neste instante. Aceite o doce convite do Mestre e sinta como é bom estar vivo.

E a sua família?

"Por mais importantes que sejam os seus
deveres como médicos, advogados ou empresários,
vocês são antes de tudo seres humanos,
e essas relações humanas, com o cônjuge,
os filhos e os amigos, constituem os
investimentos mais importantes que farão..."

Barbara Bush[1]

Recordo-me que a Organização das Nações Unidas (ONU), proclamou 1994 como o ANO INTERNACIONAL DA FAMÍLIA. Naquela época, fiquei um tanto surpreso com a importância dada pela ONU a um tema que me parecia um tanto doméstico, sem muita importância para os homens responsáveis pelo destino político do mundo.

1 – Ex-primeira-dama dos Estados Unidos em discurso aos formandos do Wellesley College, ocasião em que também afirmou: "Nosso sucesso como sociedade depende não do que acontece na Casa Branca, mas do que acontece na sua casa" (*Os sete hábitos das famílias muito eficazes*, Stephen R. Covey, Ed. Best Seller).

Mas estava enganado. O assunto era da maior relevância para toda a humanidade. Matutando sobre a questão, pouco a pouco fui descobrindo que a harmonia das nações só será conquistada com lares ajustados. E quanto maior for a desorganização familiar, maior também será o desequilíbrio social.

Pelas mãos de Chico Xavier, Neio Lúcio, espírito, narrou que o Mestre Jesus, na casa de Simão Pedro, sentenciou:

> "A paz do mundo começa sob as telhas a que nos acolhemos. Se não aprendemos a viver em paz entre quatro paredes, como aguardar a harmonia das nações?"[2]

Vejam a sabedoria de Jesus, demonstrando seu mais profundo conhecimento da alma humana. De fato, nós podemos mesmo confirmar essa advertência do Mestre, analisando a nossa conduta fora de casa, quando temos algum problema dentro da família. Se já começamos o dia com desavenças no lar, ainda que de pequena monta, nosso dia parece que não engrena. Algo parece que está amarrado, dificultando o nosso deslanche. E aquela desarmonia familiar tende a se reproduzir fora do lar, seja no trânsito, no trabalho ou na escola. Quantas crianças têm experimentado queda no rendimento escolar quando seus pais passam por desavenças conjugais? Muitas chegam,

2 – *Jesus no lar*, Ed. Federação Espírita Brasileira.

inclusive, à repetência, sem falar ainda em doenças adquiridas em tempos de crise conjugal. E, por vezes, as desavenças dos pais são tão profundas que provocam verdadeiros traumas psicológicos nos filhos. Só que um dia a criança também cresce e pode se tornar um novo pai ou uma nova mãe, com um perigo muito grande de reprodução daqueles transtornos vivenciados na infância.

Mas, se, do contrário, temos harmonia em casa, tudo conspira a nosso favor, sentimos que somos amados, queridos por nossos familiares. E aí o nosso comportamento no meio social tende a ser muito melhor, pois temos uma grande retaguarda de amor em nossa família. A família tem uma importância infinita para todos nós. Sem a família não há evolução espiritual, ao menos em nosso atual estágio evolutivo. Allan Kardec perguntou ao Espírito de Verdade[3]:

"Qual seria, para a sociedade, o resultado do relaxamento dos laços de família?"

A resposta foi curta e sábia:

"Um recrudescimento[4] do egoísmo."

Olhe que resposta magnífica. O melhor remédio para curar o egoísmo é viver em família. Sim, porque no lar nós vamos compartilhar a vida com pessoas diferentes de nós. Cada componente de uma família é um ser diferente do outro. Às vezes, um pode até ser um pouco parecido com

3 – *O Livro dos Espíritos*, questão nº 775.

4 – Recrudescimento: agravamento.

outro, mas igual, nunca. Um filho gosta de estudar, o outro não suporta um livro. Um prefere uma comida da qual o outro nem consegue sentir o cheiro. A esposa prefere férias no litoral, o marido já gosta do campo. A esposa é sonhadora, o marido, pé-no-chão. A esposa gasta muito e o marido é pão-duro. E todos estão reunidos para um "lar, doce lar".

Porém, viver em família é um imperativo evolutivo de todos nós. Exatamente porque ainda somos muito egoístas, temos a necessidade de contrastar a nossa personalidade, enfim, o nosso ego. Daí por que na família acabamos convivendo com pessoas muito diferentes de nós. E parece que quanto maior o egoísmo, maior é a diferença. Isso explica aquela insatisfação que sentimos com nossos familiares, exatamente porque eles não são do jeito que nós gostaríamos que eles fossem. Algumas mulheres gostariam que seus maridos fossem do jeito do marido da vizinha. Engraçado que a mulher deste também gostaria que seu esposo fosse do jeito do marido da vizinha insatisfeita. E assim todas caminham reclamando, uma sonhando com o marido da outra.

Olhe, as diferenças devem ser, antes de tudo, aproveitadas por ambos os cônjuges. A diferença também tem a sua beleza e pode nos proporcionar grande aprendizado. Aqui dou meu testemunho pessoal. Sou casado. Eu e minha querida esposa somos pessoas com gostos e tendências bem diferentes. Ela adora cinema, eu teatro.

Ela gosta de samba, eu evito. Eu gosto de massas, ela de arroz e feijão. Ela adora dançar, eu não desgrudo do chão. Eu gosto de sombra, ela de sol. Eu sou muito metódico, ela, mais solta. Eu adoro planejar, ela adora improvisar. Ela detesta falar em público, eu já sou louco por um microfone.

Enfim, tínhamos tudo para ser um casal com muitas discussões. Mas temos bem poucas. É que temos aprendido com nossas diferenças. Ela tenta me aceitar do jeito que sou e eu vou aceitando-a do jeito que ela é. Não existe um padrão de normalidade entre as pessoas. E nós vamos aprendendo um com o outro. Ela é minha sombra e eu sou o reverso dela.

Ela me ensina a ser mais solto e eu a ensino a ser mais disciplinada. Ela me faz sonhar um pouco mais e eu a faço colocar um pouco mais os pés na terra. Ela me faz ver a alegria e a energia saudável de alguns sambas populares. Eu já lhe mostro a suavidade de algumas músicas clássicas. Ela aprende comigo, eu, com ela. E com os filhos certamente ocorre o mesmo, porque eles são espíritos com muita bagagem e têm muito a nos ensinar.

Com essa convivência aberta, cada um vai ficando menos egoísta, porque aceita o outro como ele é e acredita que também pode aprender algo com ele. É um processo de muita interação, que só ocorre quando aceitamos os outros e quando saímos da condição de professores, de perfeitos, de certinhos. Todos nós ainda precisamos muito dos contrastes, das adversidades, por isso é que o benfeitor Emmanuel afirmou ser o lar o cadinho[5] purificador de almas endividadas. As carências de hoje representam os abusos do passado.

No lar encontramos os nossos melhores professores.
Basta que você também se posicione na condição de aluno.

É preciso, pois, estar atento ao aprendizado que a vida familiar está lhe oferecendo. Só a família é capaz de propiciar essa experiência tão enriquecedora. Foi por isso que a falange do Espírito de Verdade advertiu que o afrouxamento dos laços de família representaria um agravamento do egoísmo. Com a ruptura dos laços familiares, o homem sente menos esse contraste da sua individualidade, tendendo a ser mais egocêntrico.

Sem esquecer, ainda, que na família é que nós encontramos as nossas melhores companhias. Estamos reencarnados entre aqueles espíritos mais indicados ao nosso progresso espiritual. O esposo irresponsável, a esposa incompreensiva, o filho rebelde, a filha enferma são nossos professores de espiritualidade. Eles nos trazem as lições ainda não aprendidas. Diante daquele familiar que lhe representa um problema, indague-se qual a lição que a vida está lhe trazendo. Paciência? Aceitação? Perdão? Doação? Muito provavelmente.

5 – Cadinho: lugar onde as coisas se misturam.

Não encare seus familiares-problema como um carma, como um castigo. Um relacionamento difícil é algo para ser superado. Você não tem que agüentar um familiar difícil, você tem é que amá-lo, isso sim.

Portanto, ame a sua família do jeito que ela é. E se eles não são aquilo que você gostaria que fossem lembre-se de que você também não é o que eles gostariam que você fosse. Sem esquecer, ainda, que provavelmente você já conviveu com eles em vidas passadas e deve ter a sua parcela de responsabilidade nessa história de capítulos tristes, mas cujo final poderá ser muito feliz se você souber amá-los como seus irmãos.

Eles, nossos familiares, são os nossos próximos mais próximos. Não adianta querer amar o mundo, se ainda não somos capazes de amá-los. Se houver muito ódio, perdoe. Esqueça as ofensas. Seja você aquele que ama. Não aguarde o amor deles, nem o reconhecimento pelos seus gestos. Dê o primeiro passo para a sua família ser mais feliz.

Comece com pequenos gestos. Sorria para eles, cumprimente-os pela manhã. Ore por eles. Faça pequenas gentilezas no lar. Seja capaz de elogiar seus familiares. Eis aí alguns passos para testemunhos maiores.

Sua família vai ficar mais feliz, e você, mais ainda.

Que tal experimentar?

Você está comprometido?

"Se construíste castelos no ar, não te envergonhes deles; estão onde devem estar. Agora constrói os alicerces."

Thoreau

Olha, não estou querendo saber se você já encontrou seu par na vida, embora quem esteja num relacionamento amoroso não deixa de estar comprometido. Acho muito curioso o fato de que todos nós desejamos a felicidade, temos sonhos, ideais, mas apesar disso continuamos infelizes. No fundo, ninguém quer ser infeliz. A felicidade é a meta, é a busca contínua, e muitas vezes sabemos bem o que poderá nos trazer felicidade. Então por que tanta infelicidade?

Em nossa vida, verificamos que temos muitas intenções, muitos sonhos, muitos projetos. Mas não temos compromisso com as nossas intenções. Dê uma olhadinha em sua vida e verifique quantos projetos você tem colocado em prática.

Será que você está comprometido com os seus sonhos?

E nós somos peritos em sonhos, idéias, mas péssimos alunos em execução. O dr. Roberto Shinyashiki, médico e escritor, costuma dizer que algumas pessoas têm muita iniciativa e pouca "acabativa"[1]. Aquele regime de que tanto necessitamos, por vezes até por necessidade médica e não puramente estética, sempre fica para depois, para a segunda-feira... Só não se sabe de que mês e de que ano. Já contou quantas segundas-feiras se passaram e você ainda não iniciou a sua dieta?

E aquele trabalho voluntário numa instituição de caridade? Sempre fica para o ano que vem. "Um dia, depois, quem sabe..."

E aquela visita ao médico? "Fica para depois da férias, das provas, da Copa do Mundo, do Carnaval."

E o abandono do cigarro? "Fica para depois deste maço."

E aquele curso de reciclagem profissional, tão importante nestes tempos de globalização? "Depois eu faço, estou até com o número do telefone na agenda para fazer a minha inscrição, mas o dia é tão corrido que quando vejo já é tarde." E já se passaram mais de seis meses e a inscrição nem sequer foi feita.

1 – *O sucesso é ser feliz*, Ed. Gente.

E aquele curso que comecei e não terminei? Fui ao médico e não fiz os exames solicitados. Fui ao Centro e interrompi o tratamento de passes. E aquele livro que comecei e não passei do primeiro capítulo? Aquele filme de cinema a que tanto queria assistir e já saiu de cartaz? Enfim, aquilo com que tanto sonhei mas não me empenhei para realizar?

Quando terminei a faculdade de direito, comecei exercer a advocacia, mas aos poucos fui descobrindo minha inclinação para a carreira pública, mais precisamente para a magistratura. Como o concurso de ingresso na carreira de juiz era muito rigoroso, precisava dedicar-me mais aos estudos. Resolvi deixar a advocacia para só me dedicar ao concurso, graças, é claro, ao apoio financeiro de meu pai. E assim fiquei estudando por vários meses, mais de dez horas por dia. Fui aprovado na primeira fase do concurso, pelo que fiquei bastante animado. Mas não fui adiante. A reprovação na segunda prova foi um golpe fortíssimo. Fui a nocaute; fiquei estendido na lona por vários meses. Não me conformava. Achava que tinha feito uma boa prova. E aí culpei o mundo, a faculdade, a política, o governo, a empregada... Estava revoltado, quase um ano de minha vida perdido em cima dos livros, pensava.

Teria que voltar para a advocacia, mordido por dentro, revoltado. Tive que procurar emprego, entrevistas e mais entrevistas. Até que acabei sendo contratado. Fui me conformando com a situação. Concurso? "Nunca mais", pensava. E assim se passaram dois anos. Estava relativamente bem na advocacia, já trabalhando em outro grande escritório, mas por dentro vivia insatisfeito porque no fundo eu queria mesmo era ser juiz. A advocacia é uma belíssima profissão, um sacerdócio, mas a minha inclinação era para a magistratura.

Minha mulher, na época minha namorada, notando minha tristeza interior e conhecendo-me por dentro, tocava no assunto do concurso, dizendo-me para tentar mais uma vez, ir atrás daquilo que eu queria. A princípio, a idéia foi prontamente rejeitada. Mas ela, com a sensibilidade de mulher, foi pouco a pouco me convencendo da necessidade de tentar. Ela me fez uma pergunta que nunca mais vai sair da minha cabeça:

"O que será de você futuramente quando aparecer o remorso de não ter lutado por seus sonhos?"

Então eu fiz a projeção de um homem amargurado e derrotado. Foi o bastante para retomar o meu sonho. E me convenci de que deveria tentar quantas vezes fosse necessário. Poderia ser que não fosse aprovado, que não me tornasse juiz, mas queria deixar esta vida como um homem que lutou por seus sonhos. Queria morrer com a certeza de que tinha feito tudo o que estava ao meu alcance para conquistar os meus ideais, e não com a vergonha de ter sido fraco ao não persistir na luta.

Um ano depois acabei sendo aprovado no concurso e hoje sou juiz porque venci todas as barreiras, que no fundo eram as minhas próprias limitações. Eu não havia sido aprovado anteriormente porque não estava suficientemente preparado, quer sob o ponto de vista técnico, quer sob o ponto de vista emocional. Era preciso maior empenho. Fui aprovado quando larguei a revolta, o orgulho ferido e decidi ser feliz. Estudei mais, preparei-me melhor, adquiri mais experiência na advocacia e a aprovação no concurso acabou sendo uma decorrência natural da minha determinação.

Sonhar é bom. Melhor é tornar o sonho realidade. Mas para isso é preciso comprometimento, determinação e dedicação. É preciso sair da nossa zona de comodidade e transformar nossas aspirações em situações concretas. Nada cairá do céu. Deus atua pelos nossos gestos concretos, não por nossos sonhos. Quem está desempregado deve movimentar-se para encontrar um emprego. Não basta ficar sonhando com um bom trabalho, é preciso materializar as condições para que o sonho se concretize.

Todos os grandes homens do mundo só realizaram os seus sonhos porque estavam comprometidos com eles. Tinham intenção, mas tinham sobretudo muita ação. Todos se lembram de Edson Arantes do Nascimento, o nosso Pelé, como o maior jogador do século, mas poucos se recordam de que ele continuava a sua preparação física e técnica depois que o treinador dava por encerrado o coletivo. Vejamos também os exemplos de Madre Tereza de Calcutá, Francisco de Assis, Gandhi, Martin Luther King, Albert Schweitzer, Thomas Edison, etc.

O título deste livro encerra um grande desafio: sem medo de ser feliz. É, até para ser feliz é preciso coragem, determinação. Muitas vezes nós queremos a felicidade, mas não estamos dispostos a pagar o preço. Nada nos é dado sem merecimento. Muitos sonham com a felicidade, mas querem continuar do mesmo jeito que os torna infelizes. Eu só fui aprovado no concurso quando abandonei a imagem do revoltado, do homem orgulhoso que não admitia as suas próprias limitações. Com aquele comportamento, eu estava dizendo para o mundo que era um injustiçado, que o meu valor não havia sido reconhecido. Era uma atitude cômoda, porque era mais fácil reclamar do que me esforçar para suprir as minhas deficiências. Se eu não havia feito o bastante para ser aprovado, que fizesse mais, que estivesse mais bem preparado para os próximos concursos. Contudo, era mais fácil reclamar, colocar a culpa nos outros. Por isso temos que estar comprometidos com a nossa felicidade. O medo de ser feliz significa o medo que temos de abandonar os comportamentos antigos que nos trazem infelicidade. Se a gente ficar no "pobre de mim" a nossa vida será mesmo uma pobreza de felicidade.

E você, anda realizando os seus sonhos? Está comprometido com eles? Que bom se você disser que sim!

Mas, se não estiver, comece agora. Comprometa-se com seus ideais. Decida-se por você. Seja um realizador. Um homem de ação. A vida é como se fosse uma grande peça de teatro e você um dos seus protagonistas. Ocorre que muitos acham que a peça ainda não estreou e que ainda estamos ensaiando. Enganam-se. Estamos em pleno palco da vida, com todos os atores em cena, com o público à nossa espera, aguardando o desempenho do nosso papel de ator principal.

Será que você tem coragem de ser feliz?

Eu acredito que sim.

Você está em forma?

"Faze bem a ti mesmo, na pessoa dos outros."
Huberto Rohden

Era manhã de um domingo sem sol, outono seco. Acordei, dei uma olhada no jornal, mas nenhuma notícia nova; a política andava na mesma, com muito discurso, muita fofoca e o povo passando fome. Instalava-se em mim aquela preguiça matinal. Para não me abater, convidei a esposa e os filhos para um ligeiro passeio ao ar livre.

Fomos até o Parque do Piqueri, na capital de São Paulo, local onde as crianças sentiram prazer em desfrutar de um espaço amplo e arborizado. Resolvi aproveitar aquele pedacinho do céu em plena cidade de concreto e fazer uma caminhada pelo parque. E, pouco a pouco, fui notando a quantidade de pessoas que lá se encontravam em atividade física. E olha que o clima não era dos mais amenos, fazia até um pouco de frio. Mesmo assim, jovens, adultos e idosos, de ambos os sexos, lá se encontravam para a realização das mais variadas formas de atividades físicas, da simples caminhada às corridas, aos alongamentos, às flexões e às práticas esportivas como um todo. Enfim, parecia uma verdadeira olimpíada, com atletas de todo tipo.

Apesar da surpresa, fiquei mesmo foi muito contente, pois afinal de contas as pessoas demonstravam preocupação e atenção com a saúde física. Hoje em dia, a valorização do corpo físico é quase um consenso entre as pessoas. Muitos estão preocupados com os efeitos maléficos do cigarro, do álcool, dos alimentos gordurosos.

E lá no parque eu notava o esforço físico das pessoas para manter a forma. Pensei que o mesmo deveria estar ocorrendo nas inúmeras academias de ginástica que se espalham pelas cidades.

Acho engraçado que todo e qualquer programa de emagrecimento ou modelagem física exige muito trabalho, disciplina e esforço. São horas e horas dedicadas à bicicleta ergométrica, à esteira, às caminhadas, às braçadas na piscina, ao levantamento de peso, etc. Poderia dizer que sem sacrifício, sem dor, ninguém consegue entrar em forma. Recordei-me das minhas primeiras aulas de tênis, ou melhor, das dores sentidas em todo o corpo por causa de inocentes e despretensiosas raquetadas.

Claro que tudo isso é muito bom, pois demonstra que as pessoas também estão dando atenção ao corpo físico.

Afinal de contas, sem ele nós não conseguiremos desenvolver o nosso projeto reencarnatório, não é verdade?

Mas aqui eu também gostaria de conversar com você a respeito de uma outra beleza, cuja conquista também necessita de seus cuidados. Sabe qual é?

É a nossa beleza espiritual. Já pensou nisso? Se não pensou, vamos trocar algumas idéias sobre esse tão importante assunto?

Sabemos que fomos criados à imagem e à semelhança de Deus. Isso está na Bíblia, mais precisamente no livro da Gênese[1]. Portanto, temos em nós todos os atributos da divindade, isso quer dizer que a nossa essência é a mesma que a de Deus. E não poderia ser diferente, já que Deus é nosso Pai, conforme Jesus nos ensinou na oração dominical proferida no Sermão da Montanha.

Mas por que há tanta gente que não aparenta essa beleza?

Porque não está trabalhando essa condição espiritual, porque está ignorando o ser transcendente que somos. Acham que nós somos apenas o corpo físico, esquecendo-se da nossa realidade espiritual. Você já pensou que é muito mais do que o seu corpo físico? Esqueceu-se de que você é espírito também?

A grande maioria daqueles que chegam às Casas Espíritas apresentam sintomas de desânimo, doenças

1 – Gênese, capítulo 1, versículo 26.

psicossomáticas, sono agitado, irritabilidade, baixa autoestima, sensação de um vazio interior, etc. Há uma verdadeira debilidade energética. Tudo isso, em grande parte, deve-se exatamente a essa ignorância da nossa condição espiritual. Assim como a matéria precisa de cuidados, como alimentação, higiene, remédios, exercícios físicos, nosso espírito também necessita de atenção. De que forma?

Em primeiro lugar, pela oração. Pela prece se estabelece nossa comunhão com Deus, nosso espírito se alimenta de energias positivas e, portanto, revigorantes. A mentora Joanna de Ângelis, pelas mãos de Divaldo Pereira Franco, chegou a escrever que nosso espírito precisa bem mais de oração do que nosso corpo precisa de alimentação. Olhe que afirmação importante, não é? E basta olhar o exemplo de Jesus, que vivia em constante ligação com Deus. Por que conosco seria diferente? Devemos implantar um programa de oração em nossa vida, a fim de estarmos sempre abastecidos de energias elevadas e, portanto, em melhores condições de enfrentar os desafios da vida[2].

A reunião do Evangelho no Lar é outra ferramenta maravilhosa de enriquecimento espiritual. Jesus foi o grande incentivador dessa prática no lar, tendo Ele mesmo a iniciado na casa de Pedro. Era o que Jesus mais gostava

---

2 – Djalma Motta Argollo escreveu um excelente livro chamado *Ensina-nos a orar*, onde são apresentadas valiosas informações teóricas e práticas a respeito da oração. Confira (*Ensina-nos a orar, teoria e prática da oração*, Ed. Federação Espírita do Paraná).

de fazer, conversar com os amigos, com as pessoas, andando de casa em casa. Realizando o Evangelho no Lar rememoramos essa saudosa vivência do Mestre, tendo a certeza de que Ele também estará em nossa casa, para aquela conversa amiga, trazendo-nos o equilíbrio e os ensinamentos fortalecedores do nosso espírito. Quer melhor companhia? Informe-se no Centro Espírita sobre como realizar essa agradável reunião[3].

A meditação também é fator importantíssimo para a nossa saúde espiritual. Neste mundo tão neurótico, de tanta correria, é importante que nós, todos os dias, paremos para meditar, ainda que por alguns poucos minutos. Na meditação nós vamos conhecer principalmente quem realmente somos. Vamos nos descobrindo, porque muitas vezes nós mesmos desconhecemos quem somos.

Sabemos muito dos outros,
mas quase nada de nós mesmos.

Devemos nos enfrentar, cara a cara, sem medo e sem culpa. Conhecer quem somos, o que estamos fazendo na vida e o que queremos. Com a meditação, momento em que nos esvaziamos das coisas do mundo físico, entramos em contato direto com a nossa essência espiritual. E aí entramos num estado de plenitude espiritual, de conforto, de um profundo bem-estar. Estaremos, então, centrados,

3 – Ou então leia o livro *Evangelho no Lar à luz do Espiritismo*, de Maria T. Compri, editado pela Federação Espírita do Estado de São Paulo.

ou seja, voltados com a atenção para o nosso centro, que é o espírito. E aí o nosso dia será uma beleza, porque tudo o que nos ocorrerá terá um impacto diferente, já que estamos ligados e conectados com a nossa divina essência. Não é maravilhoso?

Outro recurso valioso para o fortalecimento do espírito é a leitura edificante. Quanto não se aprende com um livro, não é verdade? As pessoas dizem que não têm tempo para ler, o que não acredito. Tempo se arruma para as coisas que nós achamos importantes. É uma questão de prioridade. Não passe um dia sem ler, ainda que seja apenas uma página ou apenas um parágrafo de um livro edificante. E o livro espírita é uma benção em nossas vidas. O que seria de mim se não fosse ele? Quantos esclarecimentos, quanta consolação obtive e ainda obtenho na leitura de obras espíritas. No mais das vezes, nossos erros derivam da nossa própria ignorância em relação às leis espirituais. Quando esclarecidos, mudamos o nosso comportamento. A ignorância é a nossa pior inimiga. Portanto, acabe logo com ela.

O livro *O Evangelho Segundo o Espiritismo* é um eterno manancial de bênçãos esclarecedoras. Quando penso que já entendi tudo o que nele está escrito, sempre acabo descobrindo um ângulo novo de interpretação dos ensinamentos de Jesus, analisados à luz da Doutrina Espírita. E, se você estiver freqüentando algum Centro Espírita, não se limite a tomar passes. Procure esclarecimento a respeito de cursos ou palestras em que a Doutrina Espírita é mais bem explicada.

O Centro Espírita não é apenas hospital
de enfermidades espirituais, mas, sobretudo,
a grande escola educadora das nossas almas.

Mas, para completar mesmo a nossa boa forma espiritual, temos que freqüentar uma academia diferente. É a academia do trabalho em favor do próximo. Oração e trabalho são as asas inseparáveis do nosso fortalecimento espiritual. Já dissemos em outros capítulos que só recebe quem dá. Só é rico quem multiplica, só é bom quem compartilha. Grande parte das pessoas, porém, acha-se em equação inversa, consistente em: receber para dar. É a fórmula da infelicidade, pois baseada no egoísmo. Na famosa oração de Francisco de Assis, está expressa a fórmula da felicidade:

Oh, Mestre, fazei com que eu procure mais
consolar, que ser consolado;
compreender, que ser compreendido;
amar, que ser amado.
Pois é dando que se recebe.
É perdoando que se é perdoado.
E é morrendo que se vive
para a Vida Eterna.

Então, leitor querido, embeleze o seu espírito nas academias da vida, fazendo caminhadas nos morros, nas favelas, a fim de amparar nossos irmãos mais necessitados.

Se preferir, caminhe, corra, exercite-se com as inúmeras crianças carentes que estão nos orfanatos sem qualquer companhia. Mas, se ainda desejar, percorra as ruas da sua cidade e encontrará irmãos desamparados, sem lar, sem comida e sem esperança. Você verá que seus problemas ficarão muito pequenos quando estiver disposto a ajudar na solução dos problemas alheios. Suas dores somente diminuirão quando você estiver disposto a também diminuir o sofrimento do próximo. Certa feita, quando passava por grandes dificuldades em minha vida, sonhei que tinha sido levado a uma entrevista com Chico Xavier. Era um vasto lugar de atendimento a muitos aflitos e parecia que Chico era o responsável por aquele Posto de Socorro. Entrei na fila dos necessitados e, quando chegou a minha vez de ser atendido, entrei na sala e Chico estava sentado. Olhei para ele e seus olhos reluziam como faróis em noite escura. Comecei a chorar diante daquela figura amorosa e passei a expor as minhas queixas, culpas e lamentações. Mas ele não deixou que eu terminasse, pois se levantou da cadeira e me deu um abraço fraterno, dizendo para deixar a lamentação e começar a trabalhar.

Disse-me para enxugar as lágrimas dos outros,
pois as minhas seriam enxugadas por Deus.

Convidou-me para sentar ao seu lado e mostrou-me um par de sapatos usados, pedindo-me para vendê-lo e reverter o dinheiro aos necessitados.

E hoje aqui estou, meu amigo, tentando colocar em prática esses ensinamentos maravilhosos da Doutrina Espírita, percebendo claramente que a felicidade só é real quando proporcionamos felicidade aos outros. É o que estou tentando fazer ao escrever esse livro: vender os sapatos como Chico me pediu. Quanto mais escrevo, mais felicidade eu sinto. Em regra, a maioria dos capítulos deste livro foi escrita nas madrugadas. Porém, aqueles dias eram os melhores para mim, tudo ficava mais calmo, eu estava mais sereno e as minhas atividades profissionais fluíam de uma forma bem gostosa e produtiva.

Enfim, querido leitor, exercite-se, orando, meditando e trabalhando, com o que seu espírito ganhará o concurso de beleza espiritual de que todos nós teremos que participar. Mexa-se.

Tenho a certeza de que você entrará em forma o mais depressa possível. Não é mesmo?

O que Deus quer de você?

"Deus não cria autômatos, não cria robôs.
Cria espíritos para a liberdade e a responsabilidade."
Herculano Pires

Falar sobre Deus é sempre uma tarefa difícil. Muito se tem dito e escrito sobre Deus, mas o homem ainda tem dificuldade de entender o que é Deus. Gosto muito da pergunta que Allan Kardec formulou aos espíritos superiores. Indagou Kardec:

"O que é Deus?"

Melhor foi a resposta dada pelos espíritos da Codificação:

"Deus é a inteligência suprema,
causa primária de todas as coisas."[1]

1 – *O Livro dos Espíritos*, questão nº 1.

Allan Kardec não fez rodeios. Foi direto ao assunto e perguntou o que era Deus. Veja que o professor Kardec não indaga quem é Deus, mas o que é Deus, dando mostras de sua abertura mental para compreender a natureza do Criador. A resposta oferecida foi simples, mas esclarecedora. Deus é a inteligência suprema, ou seja, é o supremo poder pensante do universo. O célebre cientista Albert Einstein referiu-se à existência de um poder inteligente comandando todo o cosmo. Einstein dizia que, quanto mais conhecia o universo, mais acreditava em Deus. Sendo Deus soberanamente justo e bom, porque não se concebe a idéia de um Deus injusto, haveremos logo de concluir que o acaso não existe, pois tudo no universo decorre de uma inteligência superior. O próprio Einstein afirmou que Deus não joga dados com o universo.

Mas pior do que não saber o que é Deus é não sentir Deus em nossas vidas. A propósito, como anda o seu relacionamento com Deus? É, vamos deixar um pouco de pensar quem é Deus, para agora refletir a respeito do nosso relacionamento com Ele. Será que vai bem? Ou será que Deus é um ser ainda muito distante de nós? Por vezes, fico pensando que nós colocamos Deus tão lá no alto, tão superior, tão perfeito, que Ele acaba ficando muito distante da nossa vida. Pensamos que Deus deve ter coisas mais importantes para fazer do que pensar em nós. Mas aí é que está o nosso erro. De fato, Deus é mesmo a suprema perfeição, mas tal atributo não faz d'Ele um ser isolado e distante de nós, pobres criaturas mortais. Ao contrário, criador e criatura estão ligados por laços inquebrantáveis e eu diria, sem medo de errar, que Deus nunca esteve distante de nós, embora o inverso nem sempre aconteça.

Para outros, Deus ainda é um ser muito bravo, vingativo e ciumento, que está nos vigiando a todo momento, pronto para nos punir ao primeiro erro. Ainda guardamos lembranças do Deus apresentado por Moisés ao povo hebreu. Talvez Moisés não tivesse outra saída, pois comandava uma nação politeísta e tinha então a necessidade de apresentar um Deus meio ciumento, Senhor dos Exércitos, a fim de que a concepção monoteísta fosse assimilada. E assim muitos ainda guardam a imagem daquele Deus rancoroso, que anda de chicote na mão a distribuir chibatadas.

Porém, com Jesus as coisas ficaram muito mais claras. O Mestre apresentou-nos um Deus diferente, porque o povo já estava maduro para aquela nova compreensão. Jesus nos apresentou um Deus que é Pai. É assim que, com freqüência, Jesus se refere a Deus: Pai. Na própria oração dominical, Jesus inicia a prece com o "Pai nosso".

O mundo todo ficou estremecido
quando Jesus chamou Deus de Pai.

Sim, porque isso altera toda a nossa relação com Deus. Ora, se Deus é Pai, nós somos seus filhos. Logo, eu sou filho de Deus.

E a Doutrina Espírita amplia esse horizonte ao comprovar que Deus é tão bom que nos concede sucessivas existências para o nosso desenvolvimento espiritual. A reencarnação é a maior prova da bondade divina, pois o Criador, compreendendo a nossa fragilidade, concede-nos inúmeras oportunidades de realizar a nossa ascensão espiritual. Se você errou, terá todas as chances de reparar o seu erro.

O leitor pode estar pensando que não estou falando qualquer novidade. É mesmo, não estou. Mas será que você vive ou sente essa relação filial com Deus? Talvez muitas pessoas acreditem que Deus é Pai, mas será que nós vivemos essa filiação divina? Pense um pouco. Você se sente filho de Deus? Vive como filho de Deus?

Já chegou a pensar no instante em que você foi criado por Deus? Aquele instante único em que Deus, exalando todo o Seu amor, criou você? Pense nisso agora. Pense no instante em que você foi criado. Só você e Deus. Vamos, feche os olhos por alguns segundos! Eu espero.

Que bom, não é? Como você se sente agora? Tenho certeza de que está muito bem. Sabe por quê? Porque você tomou contato com a sua essência espiritual, divina, cósmica. E você mais uma vez sentiu o amor de Deus bafejando o seu espírito[2].

2 – Joanna De Ângelis, Espírito, escreveu pelas mãos de Divaldo Pereira Franco um belíssimo livro intitulado *Filho de Deus*, do qual nós extraímos o seguinte trecho: "És filho de Deus, cujo amor inunda o Universo e se encontra presente nas fibras mais íntimas do teu ser. Por isso, nada te deve atemorizar ou afligir demasiadamente. Tens uma fatalidade que te aguarda: a plenitude da vida" (Leal Ed.).

Agora nós devemos reconhecer as implicações práticas dessa relação de pai e filho. A mais importante delas é a constatação de que Deus, como Pai que é, só quer o nosso bem, a nossa felicidade. Não consigo admitir a idéia de um Deus que castiga os seus filhos, que irá jogá-los no fogo do inferno. Deus é amor, e quem ama, ainda mais se quem ama é Deus, não quer a infelicidade dos seus entes amados. Se um pai faz tudo por um filho, Deus faria menos do que nós?

Então, meu amigo, entregue-se a Deus, confie em Deus, por pior seja a sua situação neste instante. Lembre-se dos expressivos dizeres do Salmo 23:

O Senhor é meu Pastor: nada me faltará.
Em verdes pastagens me faz repousar;
Conduz-me até as fontes tranqüilas
E reanima minha vida.
Guia-me pelas sendas da Justiça
Por causa de seu nome.
Ainda que eu ande por um vale tenebroso,
Não temo mal algum, porque Tu estás comigo.

Vejam a absoluta confiança que o salmista deposita em Deus. Há uma atitude de entrega ao Criador. Confiar em Deus é entregar-se a Ele, sabendo e crendo que tudo o que nos acontece sempre ocorre para o nosso bem. Aquele que deposita plenamente a sua confiança em Deus, que mal poderá temer? O Criador vela por nós a todo instante. Se você puder resolver algum problema que o aflige, resolva-o e não espere que Deus faça algo que você já sabe e já pode fazer. Mas, se você está diante de um problema insolúvel, entregue-se a Deus, pois Ele tudo sabe, tudo pode.

Lembro-me de um fato ocorrido na Casa Transitória, em São Paulo, narrado por Miguel Pereira[3]. Certa manhã, Miguel Pereira recebeu o telefonema costumeiro de José Gonçalves Pereira, diretor responsável daquela casa de auxílio. O sr. Gonçalves estava aflito, pois em visita rotineira à Casa Transitória fora informado de que a despensa estava vazia e que não haveria comida para alimentar os inúmeros assistidos. Consta que o sr. Gonçalves estava amargurado e sentindo o peso de sua responsabilidade, dizendo a Miguel Pereira que, comovido, havia orado e pedido a Jesus que perdoasse a sua falha, ao mesmo tempo em que solicitava inspiração para resolver aquele grave problema.

Mas tão logo terminara a prece, disse que o telefone tocou e do outro lado da linha estava o responsável por uma empresa cujos funcionários haviam entrado em greve. E, como os donos daquela empresa não sabiam o que fazer com a comida que era rotineiramente servida aos funcionários, tiveram a idéia de consultar o catálogo telefônico e encontraram o número da Casa Transitória para a doação dos alimentos.

Foi Deus ou não foi?

---

3 – *José Gonçalves Pereira, apóstolo do bem e da caridade*, Ed. Sedac.

Então, diante das adversidades, importante é nunca perder a convicção de que Deus é nosso Pai e a Ele devemos recorrer quando estamos em dificuldades. Porém, nem sempre nossos desejos serão atendidos, porque Ele, como Pai de infinita sabedoria, sabe o que é melhor para nós. E nem sempre o que lhe pedimos é, de fato, bom para nós, já que a nossa visão é ainda muita limitada.

Somos ainda crianças espirituais e, por vezes, pedimos coisas que só nos causarão mais dor e sofrimento.

Pergunto a você: será que um pai atenderia ao pedido de um filho que quisesse jogar-se do último andar de um prédio, só porque a criança tem vontade de voar? Certamente, não. E, muito provavelmente, aquele filho ficaria revoltado com a negativa paterna. Se assim ocorre com qualquer pai existente na face da Terra, por que Deus haveria de atender às nossas maluquices? As nossas revoltas contra o Criador representam apenas manifestação da nossa infância espiritual. Somos, na verdade, crianças mimadas, querendo que Deus faça todas as nossas vontades.

Mas, então, como poderemos estabelecer uma boa relação com Deus? Jesus deu a chave ao dizer: "Amarás o Senhor teu Deus, com todo o teu coração, com toda a tua alma, e ao próximo como a ti mesmo. Nisto está toda a lei e os profetas[4]". Estar de bem com Deus é estar

4 – Mateus, capítulo 22, versículos 34 a 40.

de bem com o próximo. Quem não ama o seu irmão não pode amar a Deus. Só podemos dizer que amamos o Criador quando formos capazes de amar os nossos irmãos, principalmente aqueles que não gostam de nós. O Mestre disse-nos que deveríamos, primeiramente, buscar o reino de Deus e tudo o mais nos seria acrescentado. E buscar o reino de Deus é deixar que o amor seja a tônica de nossas vidas. Esse reino já está em nós, pois todas as leis divinas estão gravadas em nossa consciência[5].

Somos como uma pedra preciosa carecendo de lapidação. Só o amor deixará essa pedra brilhar. O reino de Deus é o reino de amor. A preocupação do homem deve ser a de viver em plenitude com esse amor universal, abrindo-se para a humanidade, amando-se e amando os seus semelhantes. Ame principalmente aqueles que são incapazes de lhe retribuir com alguma coisa. Ame os famintos, os miseráveis, os cegos, os doentes, os desesperados, mas principalmente seja capaz de amar o seu inimigo. Não se preocupe com o sentimento que ele tenha por você. Isso é um problema dele. Seja você aquele que ama. Assim procedendo, seu relacionamento com Deus será dos melhores.

Acho engraçado as pessoas solicitarem ajuda de Deus para seus problemas, mas se negarem a amparar as dificuldades do próximo. Procuram Deus nos templos,

5 – *O Livro dos Espíritos*, questão nº 621.

vestindo-se elegantemente para as cerimônias religiosas, mas se negam a doar uma roupa que já não usam para um descamisado. Fazem questão de pronunciar, em voz alta, os textos sagrados, recitando salmos e orações, mas são incapazes de alfabetizar os ignorantes. Pedem perdão a Deus, mas ainda não foram capazes de perdoar àqueles que lhe ofenderam.

André Luiz sentenciou: "A nossa felicidade será naturalmente proporcional à felicidade que fizermos para os outros[6]".

A propósito, não era você quem procurava a felicidade? Deus quer vê-lo feliz. Viva como filho do Criador. Sinta Deus como Pai e a humanidade como sua família. O resto vem por acréscimo.

6 – *Sinal verde*, Ed. CEC.

Quem é Jesus para você?

"Vinde a mim, vós todos os que andais em sofrimento e vos achais carregados, e eu vos aliviarei."

Jesus

Há dois mil anos, esteve entre nós o espírito de maior evolução espiritual que o planeta Terra já conheceu. Nem haverá outro de maior projeção do que Ele. Falo, obviamente, do homem que dividiu a história do mundo em duas partes: antes e depois d'Ele. Jesus.

Acho interessante que Ele não deixou nada escrito. Mas deixou certamente gravada em nossas almas a sua lição de amor. Isso prova que Jesus não foi um teórico daquilo que ensinou. Ele viveu intensamente tudo aquilo que pregou. Logo me vem a constatação de que muitos religiosos, espíritas ou não, falam muito do que Jesus ensinou, mas vivem muito pouco o que Jesus viveu. É aquela distância muito grande entre o discurso e a vivência. Estamos convencidos da mensagem salvadora do Mestre, mas ainda não estamos convertidos ao sublime convite que Jesus fez a cada um de nós.

Certa feita, em conversa com seus discípulos, Jesus perguntou-lhes: "Quem sou eu para vocês?"

Sentimos que o Mestre ainda continua a nos fazer a mesma pergunta. Afinal, quem é Jesus para você? Já pensou nisso?

Para alguns, Jesus é apenas um vulto histórico, alguém que está lá no passado, perdido na história dos tempos. Para outros, Jesus foi apenas um revolucionário político, um homem que tentou mudar as estruturas do poder. Para tantos outros, Jesus é apenas lembrado duas vezes por ano: na Páscoa, com muito chocolate; no Natal, com muito peru e champanhe.

E para você, quem é Jesus?
Que importância Ele tem em sua vida?

Talvez porque a humanidade dê pouca atenção aos ensinamentos do Mestre é que nós estejamos vivendo tão atribulados, inquietos, insatisfeitos e deprimidos. Todos os grandes problemas mundiais seriam resolvidos se a humanidade colocasse em prática os sábios ensinamentos do Nazareno. Note o problema da fome. Imagina-se que a falta de comida seja o problema angustiante dos famintos.

Porém, segundo dados da ONU, a produção de alimentos no mundo é suficiente para atender a todas as pessoas no planeta. O que existe é a má distribuição dos alimentos, ou seja, poucos comendo muito e muitos comendo pouco ou quase nada. O problema é então de egoísmo, não de falta de comida. Solução do problema? Amor, o único remédio capaz de curar as chagas do egoísmo. Aliás, em *O Evangelho Segundo o Espiritismo*, os espíritos iluminados disseram que o egoísmo é a causa de todas as misérias aqui na Terra e que ele é o maior obstáculo para a felicidade dos homens[1].

Veja que importante esclarecimento. As misérias sociais não são obra de Deus, como muitos pensam. São fruto do nosso egoísmo. Ser egoísta é só pensar em si, esquecendo-se de que os outros são também nossos irmãos, queiramos ou não, gostemos ou não. A fome do próximo também não deixa de ser a minha fome, porque hoje eu estou saciado, mas amanhã não sei se terei um pedaço de pão para comer. Falando em termos cibernéticos[2], tão em moda hoje em dia, estamos todos interligados pela mesma rede cósmica, de modo que o que se faz a um se faz a todos.

Você já pensou na razão pela qual os espíritos superiores estão nos ajudando aqui na Terra? Muitos deles

1 – Capítulo 11, item 11.

2 – Cibernética: ciência que estuda as comunicações e o sistema de controle não só nos organismos vivos, mas também nas máquinas.

já estão em condições de habitar mundos mais felizes, mas, por opção própria, continuam vinculados ao planeta Terra. É o caso do admirável dr. Bezerra de Menezes, que já recebeu autorização do "alto" para transferir-se para mundos mais evoluídos. Contam que essa permissão foi dada por Maria de Nazaré, numa festa em homenagem ao dr. Bezerra no plano espiritual. E sabe qual foi a resposta do nosso benfeitor? Solicitou permanecer junto a nós. Argumentou o dr. Bezerra, no seu pedido a Maria de Nazaré, que não conseguiria ser feliz em mundos superiores enquanto aqui, mais especialmente no Brasil, ainda houvesse uma lágrima de dor. E a súplica de Bezerra foi atendida, encontrando-se ele entre nós, amparando-nos e consolando-nos em nossas dores e aflições.

Note que a postura do dr. Bezerra é perfeitamente compatível com as instruções dadas pelos espíritos da Codificação, no sentido de que o egoísmo é o maior obstáculo para a felicidade dos homens.

O dr. Bezerra argumentou aos emissários de Maria de Nazaré que não conseguiria ser feliz enquanto houvesse dor e sofrimento em nosso planeta.

Bezerra vive o que Jesus nos ensinou. O amor incondicional. E nós ainda sofremos muito porque estamos distantes desse amor. Ainda pensamos somente em nós, queremos apenas a nossa felicidade e não damos bola para a infelicidade do próximo. Vivemos numa sociedade individualista, competitiva, e o homem teme o próprio homem. Veja os bárbaros delitos praticados pelas crianças norte-americanas. Recentemente, li uma entrevista do renomado antropólogo brasileiro Roberto da Matta, professor da Universidade de Notre-Dame, Estados Unidos, que chegou a afirmar que essas crianças estão cometendo crimes bárbaros por incorporar o individualismo da sociedade[3]. Na mesma entrevista, o professor Roberto conta um caso curioso ocorrido com seu amigo, também brasileiro, estudante da Universidade de Harvard. Consta que seu amigo falou com um colega de curso por duas vezes, durante todo o semestre. No Dia de Ação de Graças, data muito importante para o povo americano, esse colega o convidou para cear com sua família, pois afinal de contas ele era o seu melhor amigo. O brasileiro ficou assustado e logo perguntou ao colega: "Melhor amigo? Como? Eu só falei com você duas vezes!" E o americano respondeu: "Você foi a única pessoa que falou comigo durante todo o semestre". É o individualismo, filho direto do egoísmo.

As pessoas estão muito preocupadas em acumular mais e mais riquezas materiais, esquecendo que nosso espírito, a única realidade imortal, ainda anda na pobreza.

Eu quero mesmo é ser rico de espírito, porque,
quanto mais riqueza na alma tiver, mais feliz eu serei.

3 – Revista *Época*, Ed. Globo, junho de 1998.

Porque riqueza material não traz felicidade verdadeira. Propicia conforto, faz bem ao ego, mas felicidade mesmo nós sentimos só na alma. E o espírito só se engrandece com amor, com doação, com perdão, conforme Jesus cansou de ensinar. E você, caro leitor, é rico de espírito?

Consta que uma pessoa, vitimada por uma enfermidade cruel, foi consultar um famoso médico. Ao entrar na sala, o paciente sentou-se e o médico foi logo dizendo o preço da consulta, uma fábula, falando-lhe, ainda, que aquele valor também não dava direito a retorno. Explicou-lhe o médico todo o custo do tratamento, dos remédios, das prováveis operações, etc. Assustado, o paciente levantou-se da cadeira, pagou o preço da consulta e foi embora com um câncer já em fase terminal.

Hoje o mundo já alcançou incrível progresso tecnológico e científico. Estamos na era da informática, dos computadores, das cirurgias fetais, da cura de muitas doenças, da conquista do espaço sideral, dos foguetes, mas o homem ainda é infeliz, carente, aflito e angustiado. Isso porque o ser humano ainda teima em ignorar a lição do amor pregada e vivida por Jesus. A despeito de todo o avanço científico, ainda se encontra no vazio de suas próprias lamentações. Jesus é para nós o modelo e guia que Deus colocou ao nosso lado a fim de impulsionar o nosso progresso[4].

4 – Segundo os espíritos superiores, Jesus é o tipo mais perfeito que Deus nos ofereceu para servir de modelo e guia (*O Livro dos Espíritos,* questão nº 625).

Seria muito bom se tirássemos Jesus
da cruz, dos livros, da Bíblia, da história,
para colocá-Lo vivo em nossa vida.

Você já pensou que Ele é nosso irmão? Não é um ser irreal, mitológico, não é um personagem de história em quadrinhos. Jesus é nosso amigo, desejando partilhar o nosso dia-a-dia. O Mestre é o grande equacionador dos nossos problemas, como adverte Divaldo Pereira Franco. O Espiritismo veio reviver as lições de Jesus, devolvendo-nos toda a pureza do Cristianismo. Que Doutrina maravilhosa, que abre os nossos horizontes para além da vida, corporificando toda a mensagem do Cristo, dando-lhe maior sentido e dimensão.

Caro leitor, durante quase dois mil anos temos ouvido falar de Jesus. Quantas encarnações já tivemos em todo esse período? Muitas, certamente. Mas, se as mensagens do Mestre ainda não calaram fundo em sua alma, temos a certeza de que Ele ronda o seu coração, tentando penetrar-lhe o ser para ser o divino amigo de todas as horas. Sinta a sua aproximação, sinta o seu amor, relembre que Ele veio até nós e se doou tanto que acabou morrendo por nós. Mas, na verdade, Ele não morreu, porque continua vivo ao nosso lado, aguardando-nos há muito tempo para nos conduzir à felicidade que tanto almejamos. Neste momento, amigo leitor, meus olhos se enchem de lágrimas, não de tristeza, mas de pura felicidade, pois sei que Jesus está no barco da nossa vida, acalmando todas as tempestades, para que em breve cheguemos ao porto seguro da nossa redenção espiritual.

Não se prive dessa convivência com Jesus. Ele é a nossa bússola neste oceano da vida. Oriente-se por Ele, guie-se por Ele e só assim você será verdadeiramente feliz.

Que bela amizade, não é mesmo?

Palavras finais

Chegamos ao término desse nosso encontro. Espero que ele tenha sido bom para você. Para mim foi maravilhoso poder compartilhar com você um pouco daquilo que penso e sinto sobre a vida. Tenha a certeza de que escrever este livro foi uma alegria muito grande para mim. Escrevendo, pude principalmente refletir sobre uma série de fatos de minha vida. Tudo o que está escrito é minha lição de casa. Agora eu vou lhe revelar um segredo. Quando eu estava escrevendo, uma voz lá no íntimo me indagava:

"Quem é você para escrever? Quem é você para ensinar alguma coisa?"

Por vezes, cedia àqueles pensamentos e logo desligava o computador. Mas sentia alguém também me dizendo:

"Escreva para você. Reflita sobre você, sobre sua vida, sobre seus problemas e dificuldades e pergunte-se se você é feliz."

Aceitei o segundo desafio e o livro acabou sendo editado. E eu estou duplamente gratificado: primeiro porque cresci muito com o trabalho de escritor, acabei me conhecendo muito mais e, portanto, hoje eu sou um homem mais feliz. Em segundo lugar, porque muitos partilharam essa experiência comigo, desde aqueles que incentivaram a idéia e leram os primeiros rabiscos, e não foram poucos, como todos os demais envolvidos na publicação desse que considero o meu terceiro filho. Por isso é que este livro é uma obra coletiva, de encarnados e desencarnados, na qual eu apenas tentei canalizar a mensagem libertadora da Doutrina Espírita.

E você, amigo leitor, também participa desse trabalho, pois o seu envolvimento com o livro produz uma energia capaz de multiplicar uma única idéia. Participará mais ainda se você colocar em prática o quanto foi dito, porque aí sim o livro será uma verdadeira ponte para a sua felicidade.

Saiba que esse foi o nosso primeiro encontro. Se você gostou do livro, divulgue-o para que outras pessoas também possam conhecê-lo.

Um dia, não sei quando, não sei como, mas tenho a certeza de que esse dia virá, haveremos de nos encontrar e aí a nossa prosa vai continuar.

Agora fique em paz e nunca esqueça que você nasceu para ser feliz.

Seu amigo
José Carlos De Lucca

Bibliografia

André Luiz. *Sinal verde*. Psicografia de Francisco Cândido Xavier. Ed. CEC.

_______ . *Missionários da luz*. Psicografia de Francisco Cândido Xavier. Ed. Federação Espírita Brasileira.

_______ . *Nosso Lar*. Psicografia de Francisco Cândido Xavier. Ed. Federação Espírita Brasileira.

Ângelis, Joanna de. *Desperte e seja feliz*. Psicografia de Divaldo Pereira Franco. Ed. Leal.

_______ . *Otimismo*. Psicografia de Divaldo Pereira Franco. Ed. Leal.

Antônio Carlos. *Muitos são os chamados*. Psicografia de Vera Lúcia Marinzeck de Carvalho. Petit Editora.

_______ . *Reconciliação*. Psicografia de Vera Lúcia Marinzeck de Carvalho. Petit Editora.

Argollo, Djalma Motta. *Ensina-nos a orar, teoria e prática da oração*. Ed. Federação Espírita do Paraná.

Buscaglia, Leo. *Amor*. Ed. Record.

Carvalho, Alamar Régis de. *Sob a ótica espírita*. Ed. Seda.

Compri, Maria T. *Evangelho no Lar à luz do Espiritismo*. Ed. Federação Espírita do Estado de São Paulo.

Covey, Stephen R. *Os sete hábitos das famílias muito eficazes*. Ed. Best Seller.

Denis, Léon. *O problema do ser, do destino e da dor*. Ed. Federação Espírita Brasileira.

Emmanuel. *Fonte viva*. Psicografia de Francisco Cândido Xavier. Ed. Federação Espírita Brasileira.

Espíritos diversos. *Voltas que a vida dá*. Psicografia de Zíbia Gaspareto. Ed. Espaço Vida e Consciência.

Guimarães, Mário. *O juiz e a função jurisdicional*. Ed. Forense.

Hammed. *Renovando atitudes*. Psicografia de Francisco do Espírito Santo Neto. Ed. Boa Nova.

Kardec, Allan. *O Evangelho Segundo o Espiritismo*. Petit Editora.

________. *O Livro dos Espíritos*.

Lotufo Junior, Zenon, org. *Alberto Schweitzer por ele mesmo*. Ed. Martin Claret.

Martins, José da Silva. *Coletânea de pensamentos da sabedoria universal*. Ed. Martin Claret.

Miramez. *Saúde*. Psicografia de João Nunes Maia. Ed. Fonte Viva.

Moody Jr., Raymond. *Vida depois da vida*. Ed. Nórdica.

Neio Lúcio. *Jesus no lar*. Psicografia de Francisco Cândido Xavier. Ed. Federação Espírita Brasileira.

Nobre, Marlene R. S. *Lições de sabedoria: Chico Xavier nos 23 anos de Folha Espírita*. FE Ed. Jornalística.

Pereira, Miguel. *José Gonçalves Pereira, apóstolo do bem e da caridade*. Ed. Sedac.

Pimentel, Manoel Pedro. *Prisões fechadas, prisões abertas*. Ed. Cortez & Moraes.

PIRES, HERCULANO. *O homem no mundo*. Heloísa Pires. Ed. Federação Espírita do Estado de São Paulo.

RIBEIRO, LAIR. *Comunicação global*. Ed. Objetiva.

ROHDEN, HUBERTO. *De alma para alma*. Ed. Martin Claret.

SHINYASHIKI, ROBERTO. *O sucesso é ser feliz*. Ed. Gente.

SILVA, MARCO AURÉLIO DIAS DA. *Quem ama não adoece*. Ed. Best Seller.

SIMONETTI, RICHARD. *Quem tem medo da morte*. Ed. CEC.

________. *Uma razão para viver*. Ed. CEC.

VILELA, JANE MARTINS. *O gigante deitado*. Ed. O Clarim.

WEISS, BRIAN. *Meditando com Brian Weiss*, Ed. Salamandra.

XAVIER, FRANCISCO CÂNDIDO & PEREIRA, MIGUEL. *Doações de amor, vida e obra de José Gonçalves Pereira*. Grupo Espírita Emmanuel S/C.

Ao terminar a leitura deste livro, talvez você tenha ficado com algumas dúvidas e perguntas a fazer, o que é um bom sinal. Sinal de que está em busca de explicações para a vida. Todas as respostas que você precisa estão nas Obras Básicas de Allan Kardec.

Se você gostou deste livro, o que acha de fazer que outras pessoas venham a conhecê-lo também? Poderia comentá-lo com aquelas do seu relacionamento, dar de presente a alguém que talvez esteja precisando ou até mesmo emprestar àquele que não tem condições de comprá-lo. O importante é a divulgação da boa leitura, principalmente a da literatura espírita. Entre nessa corrente!

Livros de José Carlos De Lucca

Vale a pena amar

Trata-se da primeira incursão de José Carlos De Lucca pela crônica, gênero literário tão do agrado do leitor: histórias curtas, experiências vividas pelo escritor e episódios marcantes. Livro que ilumina o caminho do leitor que deseja alcançar a verdadeira felicidade.

Força espiritual

Todos nós merecemos ser felizes! E o primeiro passo para isso é descobrir por que estamos sofrendo. Neste livro encontramos sugestões práticas para despertar a força espiritual que necessitamos para enfrentar e vencer nossas dificuldades, transformando nosso destino.

Atitudes para vencer

O sucesso depende de nossas atitudes! Neste livro, José Carlos De Lucca, o autor do *best-seller Sem medo de ser feliz*, mais de 90 mil exemplares vendidos, analisa e exemplifica atitudes que nos ajudam a vencer. Acredite: tudo pode ser muito melhor do que você imagina!

Olho mágico

Até onde seus olhos alcançam? Será que é realidade o que está vendo? Veja as oportunidades que estão à sua frente! A alegria e a paz estão ao seu alcance como nunca viu. Essa é a proposta de *Olho mágico*. Descubra que, a partir de uma nova perspectiva, tudo pode mudar!

Leia e recomende!
À venda nas livrarias espíritas e não espíritas

petit

Av. Porto Ferreira, 1031 | Parque Iracema
CEP 15809-020 | Catanduva-SP

www.**petit**.com.br
www.**boanova**.net

petit@petit.com.br
boanova@boanova.net

 17 3531.4444

 @boanovaed

 boanovaed

 boanovaeditora